LES FIBRES
de la santé

Éditeurs:
LES ÉDITIONS LA PRESSE, LTÉE
44, rue Saint-Antoine ouest
Montréal   H2Y 1J5

Conception graphique:
JEAN PROVENCHER

Photographie de la couverture:
RÉJEAN BRUNET

Tous droits réservés:
LES ÉDITIONS LA PRESSE, LTÉE
©Copyright, Ottawa, 1986

Dépôt légal:
BIBLIOTHÈQUE NATIONALE DU QUÉBEC
4e trimestre 1986

ISBN 2-89043-191-6

1 2 3 4 5 6   91 90 89 88 87 86

LYSE GENEST
diététiste

MONIQUE LE ROUZÈS
B.Sc. Nutrition

LES FIBRES
de la santé

Que sont-elles?

À quoi
servent-elles?

Où les
trouve-t-on?

RÉPERTOIRE
de

70
RECETTES

la presse

REMERCIEMENTS

Nous remercions vivement nos familles respectives pour leur précieuse collaboration à la réalisation de ce livre. Sans leur participation désintéressée et leur enthousiasme constant, cet ouvrage n'aurait jamais pris forme.
Nous tenons à remercier tout spécialement le docteur P. Poncelet qui a gracieusement accepté de préfacer cet ouvrage.

Sommaire

À nos parents, avec tendresse et gratitude...

Préface

En tant que chirurgien, il m'est donné de voir quotidiennement les ravages exercés par la maladie sur l'organisme. Si certaines maladies nous frappent sans raison connue, il est désolant de constater que dans beaucoup de cas elles sont le résultat direct de nos erreurs et de nos faiblesses. Si la population arrêtait de consommer de l'alcool, de fumer et s'alimentait de façon rationnelle, la moitié des hôpitaux pourraient être fermés du jour au lendemain et beaucoup de compagnies pharmaceutiques feraient faillite.

Les dangers du tabac et de l'alcool sont bien connus de tous et les effets de cette campagne de sensibilisation commencent à se faire sentir dans nos milieux. Par contre les erreurs diététiques sont universelles et frappent beaucoup moins l'imagination. Il est même de bon ton de rire des personnes s'occupant de leur diète et de les traiter de «granolas». Pour la plupart d'entre nous, le pain blanc, les patates et le steak restent la base de l'alimentation.

Alors que dans la plupart des pays du Tiers-Monde, la diète est en général trop pauvre, le régime alimentaire nord-américain se caractérise par sa trop grande richesse en calories, en protéines animales «de luxe» et en cholestérol. Le corollaire est une déficience importante en fibres. Le paradoxe est que nous payons beaucoup trop cher pour nous nourrir mal. Ce prix élevé commence à l'épicerie et se continue dans les cabinets de médecin, les couloirs d'hôpitaux et sur les tablettes des pharmacies. Il suffit de compter le nombre de produits pharmaceutiques vendus pour combattre la constipation pour s'en convaincre. Nous dépensons une fortune pour nous nourrir de «cochonneries», ensuite une autre petite fortune pour acheter des médicaments qui combattent les maladies que nous nous sommes infligées.

Un chirurgien cynique dirait à la population de continuer étant donné qu'une grosse partie de notre clientèle souffre des maladies dues à leurs mauvaises habitudes alimentaires. En effet, les opérations pour les calculs biliaires, les hémorroïdes, les fissures et les fistules anales, les hernies diverses provoquées ou entretenues par l'obésité et les varices des membres inférieurs représentent près de 50% des cas que nous opérons régulièrement. Ne parlons pas de l'artériosclérose et de ses conséquences, du diabète, de la goutte et de bien d'autres pathologies trop nombreuses pour être énumérées ici. Notre alimentation est le facteur principal qui provoque ou qui entretient toutes ces pathologies.

Que dire alors de la constipation, responsable de la plupart des cas d'hémorroïdes ou de diverticulose colique. Tous ceux d'entre nous qui connaissent la constipation savent à quel point leur caractère en souffre. Voltaire qui était un grand constipé écrivait déjà en parlant avec jalousie des personnes qui ne l'étaient pas: «Que la vie leur est agréable, que leur caractère est aimable; un non dans leur bouche est plus agréable à entendre qu'un oui dans la bouche d'un constipé!»

Ce livre répond à un besoin essentiel dans notre éducation alimentaire. De façon claire, précise et parfois poétique, il souligne l'importance des fibres dans notre alimentation. Il est clair et écrit en termes assez simples pour être compris et utilisé par tous. Il contient, en outre, une série de repas types et de recettes d'emploi facile permettant d'enrichir notre alimentation sans devoir s'embarrasser de notions théoriques complexes. Ce livre est aussi suffisamment précis et scientifique pour servir de référence aux étudiants en diététique et à leurs professeurs. Il peut se lire comme un roman et se consulter comme un dictionnaire selon nos besoins. Je recommande à tous de le lire, de le relire et surtout de suivre son enseignement.

Paul Poncelet, M.D., FRCS(C), FACS, PhD
Chirurgien au Centre hospitalier de l'Université Laval
Professeur agrégé à la faculté de Médecine de l'Université Laval

Avant-propos

Nous vivons présentement à l'heure des médecines dites douces; les journaux, la radio et la télévision nous donnent accès à une foule d'informations sur les sujets les plus divers. Aujourd'hui, il semble que pour être dans le vent, «être *in*», on se doit de parler «FIBRES»; c'est le sujet à la mode du jour, celui qui résout de nombreux petits problèmes intimes.

Ces dernières décennies ont vu naître toute une flambée de nouvelles philosophies supposées aptes à nous donner la santé, la jeunesse éternelle et quoi d'autre encore... Les «GRANOLAS» considérés par plusieurs, jusqu'à tout récemment, comme des hurluberlus, les illuminés des fibres, avaient au moins une chose de plus à leur actif: un intestin en bien meilleure forme que celui de la majorité d'entre nous. Les habitudes alimentaires changent et les tendances du consommateur vont maintenant vers des menus légers et sélectifs, vers des aliments de santé et surtout vers une plus grande variété d'aliments.

L'histoire des fibres n'est pas une nouveauté de notre siècle, elle remonte au début des temps. Même la reine Cléopâtre a souffert de constipation lorsqu'elle a eu la brillante idée de moudre son blé pour offrir du pain blanc à Marc-Antoine. Aussi loin que l'on remonte dans l'histoire de la civilisation, cette condition, au fil des ans, a fait partie du lot des populations privilégiées. On peut dire que pour une fois le peuple, sans le savoir cependant, a reçu la bonne part du gâteau. N'ayant pas les moyens de s'offrir l'alimentation réservée aux classes nobles, il a été épargné par un juste retour du sort.

L'homme moderne sans le réaliser a beaucoup de chance: il n'est pas confiné à une alimentation presque uniquement à base de viande comme l'homme préhistorique et le carnivore, ou encore à base de végétaux comme l'herbivore et encore moins à base de graines comme l'oiseau. Il a l'option de se nourrir selon son choix grâce aux différentes chaînes alimentaires. La recette-santé est simple: IL FAUT MANGER

EN HARMONIE AVEC SON ORGANISME. Tout est là! Ne pas sombrer dans l'exagération ni d'un côté ni de l'autre mais tendre à se situer vers le juste milieu.

Les fibres constituent un élément essentiel du fonctionnement général de notre organisme et plus spécifiquement du fonctionnement optimal de nos fonctions excrétoires. En effet, personne n'aurait l'idée de conserver «ses vidanges». Cette seule pensée fait sourire, alors pourquoi ne pas agir de même lorsqu'il est question de notre intestin? «DIS-MOI COMMENT VA TON INTESTIN ET JE TE DIRAI COMMENT TU VAS.»

Tout comme on pense à bien hydrater sa peau avec une multitude de crèmes et de lotions, il faut aussi penser à s'hydrater l'intérieur. Peu importe les soins de beauté, si on se nourrit mal, on ne peut le dissimuler. En effet, la peau, les yeux, les cheveux ainsi que l'énergie et le comportement sont le reflet de nos habitudes alimentaires. Rien de tel qu'une alimentation équilibrée, le grand air, l'exercice physique pour se tenir en forme et être «pétant» de santé. Allons-y donc pour un «second début» avec l'eau et les fibres, c'est un duo inséparable. Vous verrez, vous vous sentirez rajeunis et... si bien dans votre peau.

De plus en plus on s'intéresse à l'importance de la «fibre» alimentaire. Ses deux principales caractéristiques sont de donner généralement aux aliments une texture qui nous incite à la mastiquer et de n'être que faiblement digérée. On la retrouve par conséquent intacte ou presque intacte dans le gros intestin aidant à prévenir la constipation. Puisque majoritairement la «fibre» donne aux aliments de la consistance, son absence peut les rendre plus ou moins mous, au point parfois qu'ils n'ont pas besoin d'être mastiqués du tout. Seules, les pectines, les gommes et les mucilages qui présentent des fibres gélatineuses ne nous laissent pas l'impression d'ingérer ces précieuses substances.

L'aventure «FIBRE» commence dans les pages qui suivent. Vous y trouverez tout ce qui peut vous être utile pour mettre dans votre quotidien cet élément indispensable à la vie, de même nous l'espérons, des réponses à vos nombreuses interrogations pour vous permettre de vous porter mieux et de le demeurer: GRÂCE AUX FIBRES. Les fibres, c'est champion! PLACE AUX FIBRES...

Introduction

Pourquoi les fibres?

Mère nature est décidément de notre côté et elle a bien fait les choses. Dans sa grande sagesse, elle nous a fourni de façon naturelle, bien souvent à notre insu, toutes les substances nécessaires au bon fonctionnement de notre organisme.

Cependant, l'homme moderne faisant fi des aliments de ses ancêtres s'est pensé plus futé. Il s'est raffiné, tellement raffiné qu'il a jugé préférable d'enlever leur emballage naturel, c'est-à-dire «LA FIBRE ALIMENTAIRE».

Pourquoi ces nouvelles habitudes alimentaires? Comment expliquer l'illogisme de cette pratique? La révolution industrielle et le perfectionnement de la technologie ont provoqué l'exode des ruraux vers les villes au siècle dernier. Ainsi, une nouvelle ère économique et alimentaire, une abondance sans précédent de nouveaux produits manufacturés, surraffinés en sont les conséquences les plus évidentes. On assiste dès lors à une évolution du goût et du comportement alimentaire de l'homme, de même qu'à un engouement toujours croissant pour des produits transformés tels que les conserves, les surgelés, les mets préparés d'avance et même très souvent prêts à manger. Les fabricants répondent donc aux nouvelles préférences des consommateurs pressés et avides d'aliments d'agrément faciles à préparer, à avaler et même à digérer. «MAXIMUM DE PLAISIR AVEC MINIMUM D'EFFORT POSSIBLE» devient le nouveau type d'alimentation. Est-ce là tous les bienfaits du modernisme? Hélas! non. Il traîne derrière lui toutes les conséquences de nos bouleversements écologiques qui nous ont inévitablement conduit aux nombreux malaises découlant de ces nouvelles habitudes alimentaires.

Pourquoi tant de médecins, tant de chercheurs et d'hommes de science se liguent-ils, aujourd'hui, pour dénoncer les désordres organiques à la base de cette alimentation prémastiquée, prédigérée? En suivant la filière «FIBRES», les recherches scientifiques actuelles ont dépisté tout un réseau de maladies dans lesquelles la carence en fibres alimentaires peut constituer le dénominateur commun. Sherlock Holmes n'aurait pas fait mieux. Il s'avère que les fibres pourraient être un agent curatif et préventif important. Les enquêtes scientifiques se poursuivent et la prochaine décennie verra sûrement fleurir de nouveaux développements qui feront la lumière dans ce dossier. Ce sujet mérite donc toute notre attention.

Quelles sont les conditions cliniques où les fibres alimentaires pourraient intervenir comme partie du traitement thérapeutique ou comme élément préventif naturel? Selon des études épidémiologiques récentes, les pathologies qui profiteraient de cette *médecine douce* et *naturelle* sont les suivantes:

> constipation, côlon irritable, maladie diverticulaire, cancer du côlon, hémorroïdes, diabète, obésité, hyperlipémie, maladies cardio-vasculaires, calculs biliaires, carie dentaire.

Voilà un palmarès fort impressionnant! La palme revient sans contredit à la constipation qui se mérite le premier prix suivie de près par le côlon irritable, la maladie diverticulaire ainsi que le cancer du côlon.

Saviez-vous que ces dernières pathologies sont à peu près inexistantes dans les pays en voie de développement où l'apport en fibres du menu est élevé et qu'elles se retrouvent à des niveaux endémiques chez nous? En effet, la vitesse d'élimination, c'est-à-dire le transit intestinal des populations africaines par exemple, se révèle être de beaucoup plus rapide que celle des occidentaux. Il ressort selon toute évidence, qu'il existe, dans ce phénomène, une forte relation de cause à effet. Ce tableau éloquent mérite qu'on s'y arrête sérieusement et qu'on analyse en profondeur nos contenus alimentaires pour y chercher le «brin de luzerne ou de fougère» qu'on a omis de consommer.

Pourquoi ne pas tenter ensemble un changement bénéfique de nos habitudes? Car, même si les fibres comestibles ont longtemps été considérées comme quantité négligeable, sans aucune valeur nutritive, elles trouvent maintenant leurs lettres de créance dans toutes ces recherches médicales récentes où elles nous apparaissent être, selon toute probabilité, la clé de bien des maux. Les fibres alimentaires reprennent enfin la place qu'elles n'auraient jamais dû quitter dans toute alimentation saine et équilibrée. Elles sont tout aussi importantes que les protéines, les glucides, les matières grasses, les vitamines et les minéraux. On a souvent pensé que ce qui fait la valeur d'une chose c'est sa rareté; c'est peut-être justement la surabondance des fibres dans la nature qui a permis que nous mésestimions leur valeur réelle.

Comment peuvent-elles aider à vivre mieux, en santé et plus longtemps? L'action des fibres s'exerce de diverses façons, elle peut contribuer à:

1. diminuer l'apport calorique car les aliments riches en fibres apportent peu d'énergie. De plus, les fibres prolongent le sentiment de plénitude empêchant de trop manger. Ces calories escamotées sont donc une véritable aubaine pour les obèses ou ceux qui surveillent leur poids.
2. réduire la vitesse d'absorption du sucre dans le sang grâce aux fibres hydrosolubles comme la pectine, les mucilages et plus particulièrement les gommes qui possèdent un effet hypoglycémiant. Bonne affaire pour les diabétiques souhaitant maîtriser leur taux de sucre.
3. abaisser le taux de cholestérol aidant ainsi à traiter des maladies comme les hyperlipémies et l'athérosclérose. N'y a-t-il pas là de quoi réjouir un coeur inquiet?
4. soulager et prévenir la constipation et autres désordres intestinaux ou digestifs associés.
5. combattre et prévenir de façon efficace la carie dentaire.

Dans tous ces cas, les fibres constituent un atout hors pair. Mettons-nous donc à l'heure «FIBRES» car même si elles ne constituent pas une panacée, l'état actuel des recherches confirme que leur rôle est déterminant et justifie grandement une médecine préventive. La prévention n'a jamais nui à personne au contraire, elle est la caractéristique du sage. Planifions aujourd'hui notre programme de santé riche en fibres, ménageons nous un avenir heureux et une meilleure santé en adoptant des habitudes alimentaires comprenant davantage de ces aliments.

Que sont les fibres alimentaires? Dans quels produits les trouve-t-on? Comment les introduire dans son quotidien? De quelle quantité avons-nous besoin? De quelle façon agissent-elles? Quels aliments mettre dans le panier à provisions? Comment équilibrer les menus pour relever sa consommation de fibres alimentaires? Comment apprêter de façon appétissante ces aliments? Dans ce livre extrêmement pratique et facile à comprendre, on répond à toutes les questions précédentes. On y présente d'une manière volontairement vulgarisée un sujet parfois complexe mais avec un souci de rigueur scientifique appuyé par des travaux de recherche parmi les plus récents. Il est destiné aux hommes et aux femmes conscients de l'importance de l'alimentation et des effets qu'elle peut avoir sur la santé.

Deux livres en un seul!

Cet ouvrage se divise en *deux parties distinctes*. Dans la première, on trouve toutes les notions de base essentielles à la connaissance des fibres comestibles comprenant une description détaillée de chaque source alimentaire, de leur mode d'action et d'interaction. Cette première partie se termine par un tableau de la teneur en fibres des aliments les plus riches en cet élément et précise la ration journalière souhaitable pour demeurer en forme. La santé par les fibres souligne aussi l'importance de l'eau et d'autres liquides pour assurer l'équilibre interne de l'organisme.

Ce guide pratique de santé contient en deuxième partie quelques exemples de menus calculés pour relever progressivement la quantité de fibres consommées jusqu'à un apport acceptable selon les cas. Les experts suggèrent que la population en bonne santé double, voire même triple sa consommation de fibres. Le système d'échanges d'aliments proposé permet de substituer facilement les différentes sources alimentaires pour mieux rencontrer les besoins et varier les menus. Cette dernière section se termine par des conseils pratiques pour le panier à provisions, la préparation des aliments non raffinés, et est suivie d'une série de recettes intitulée «RECETTES-FIBRES» faciles, savoureuses, le plus souvent très économiques parce que composées principalement de végétaux: fruits, légumes, produits céréaliers, noix, graines, légumineuses.

Au chapitre III de la deuxième partie de cet ouvrage, vous trouverez des formules d'auto-évaluation pour vérifier vos connaissances et votre consommation actuelle de fibres. Vous y trouverez aussi le lexique des termes les plus ardus, la liste des tableaux, une bibliographie simplifiée ainsi qu'une table des matières incluant l'index des recettes.

PREMIÈRE
PARTIE

Que sont les fibres alimentaires ?

Le dernier «miracle» diététique des années 80 est sans conteste les fibres. C'est grâce à un médecin britannique, le docteur Denis Burkitt appelé «le père moderne des fibres», que la nutrition humaine les a reconnues comme éléments nutritifs essentiels. Mais, quand surgit une nouvelle vague d'intérêt pour un constituant alimentaire, la tendance est souvent d'en exagérer les mérites, ou de lui conférer une sorte de pouvoir magique en passant sous silence les aspects moins favorables.

Il existe beaucoup de confusion même parmi les professionnels de la santé quant à la nature et au rôle des fibres dans la santé humaine. Sur le plan curatif, elles ne représentent pas encore le «grand» remède aux «grands» maux. Cependant, malgré les controverses, elles demeurent, avant tout, un traitement préventif, une méthode sûre, saine et efficace de vivre mieux dans sa peau et plus longtemps.

Une première confusion relative à ce sujet épineux provient de la difficulté à les définir correctement. C'est d'abord une question de terminologie : quel terme doit-on utiliser et pourquoi?

On parle souvent de fibres «brutes» ou de fibres mesurables et l'on confond le mot «résidu» avec celui de fibres alimentaires. Depuis 1972, l'appellation «fibre alimentaire» remplace celle de «fibre brute» laquelle exclut en grande partie, sinon en totalité, les fibres dites tendres non fibreuses (jusqu'à 80%), de même qu'une portion importante de la cellulose (20 à 50%) et de la lignine (50 à 90%), à la suite des traitements chimiques intensifs par acides et alcalis auxquels on les soumet. Elles ne sont donc pas synonymes. Autrefois, on exprimait la teneur en fibres des aliments en termes de fibres totalement résistantes aux enzymes digestives, soit généralement la cellulose et la lignine. À cause des limites de ce système de mesure, la quantité de fibres brutes est moindre que celle des fibres alimentaires qui, elle, inclut tous les éléments constitutifs des tissus végétaux (hémicellulose, substances pectiques, etc.).

Quant au mot «résidu» il fait référence au contenu du côlon et englobe toutes substances alimentaires non digérées: fibre, eau, bactéries, acides organiques, etc. Le mot «cendres», que l'on trouve parfois dans certaines tables, indique tout simplement la quantité de résidu contenue dans un aliment qui a été soumis à divers traitements en laboratoire.

L'expression «fibre alimentaire» est donc, à ce jour, le terme générique à retenir pour désigner toutes les substances qui composent la partie des plantes non digérées dans l'estomac. Trowell *et al.* suggère aussi le terme «fibres comestibles» plus approprié semble-t-il pour décrire la quantité totale des fibres alimentaires.

Dans le tableau 1, on identifie et on compare les genres de glucides. On y trouve aussi les produits digestibles ainsi que les termes appropriés à chaque groupe.

Dans le contexte de ce livre, les fibres alimentaires sont définies comme étant l'ensemble des éléments qui forment la gaine protectrice ou l'enveloppe des plantes leur conférant une structure rigide. Elles constituent les matériaux de base du règne végétal et pour notre profit des matériaux de vidange intestinale.

Les fibres font partie d'une grande chaîne alimentaire: les glucides ou sucres appelés chimiquement polysaccharides à l'exception de la lignine (composé non glucidique). Leur principale caractéristique est leur résistance à l'action des enzymes digestives de l'homme. Elles quittent notre estomac sans être altérées par la mastication et la digestion. Les fibres constituent donc la matière qui reste dans notre intestin une fois que la digestion est terminée.

Une seconde clarification s'impose ici encore concernant la classification des fibres alimentaires. La diversité rencontrée dans le classement des types de fibres nuit à la compréhension claire et nette de leur nature véritable, elle est source de confusion. En effet, selon les références, on en trouve deux, trois, quatre et même cinq variétés différentes, d'autres parlent de «fibre» au singulier et la confonde avec le résidu alimentaire ou la nomme cellulose. Enfin, les plus prudents disent qu'il y a plusieurs types de fibres alimentaires et les nomment au hasard sans ordre de composition. Autrement dit, il y en a pour tous les goûts et pour tous les palais. Comment manger en toute quiétude et avec profit pour sa santé ces précieux éléments si nous ignorons ce que nous ingérons et digérons? N'exagérons pas mais reconnaissons qu'il serait rassurant de savoir ce que l'on mange et pourquoi on le mange ne serait-ce que pour éliminer l'inquiétude et la confusion.

TABLEAU 1

Classification simplifiée des glucides (sucres) alimentaires

Groupes	Sortes	Digestibilité
Monosaccharides	glucose fructose arabinose xylose galactose ribose mannose	glucides directement assimilables et digestibles
Disaccharides	sucrose lactose maltose	
Trisaccharides	raffinose	
Polysaccharides	dextrine amidon	
Fibres tendres	gommes mucilages algues substances pectiques hémicellulose	glucides (sucres) partiellement assimilables non cellulosiques
		FIBRES ALIMENTAIRES
Fibres brutes	cellulose lignine*	fibres non assimilables

* N'est pas un glucide mais un polymère aromatique.

CHAPITRE I

Classification des fibres alimentaires

La classification qui apparaît comme la plus logique et la plus simple est basée sur la composition nutritive des constituants des membranes cellulaires des plantes. Elle comprend *trois groupes :*

1. les polysaccharides NON CELLULOSIQUES (hémicellulose, substances pectiques, algues, gommes et mucilages) ;

2. les polysaccharides CELLULOSIQUES ;

3. la LIGNINE (polymère aromatique non glucidique composé d'unités de phénylpropane).

Les fibres du premier groupe sont différentes des fibres totalement non digestibles des deux autres catégories. Elles sont solubles dans l'eau et digérées partiellement par la flore bactérienne normale de notre intestin. Elles sont dites tendres et non fibreuses. À la lumière de ces quelques notions, il ressort que les fibres ne constituent pas une entité chimique en soi mais une combinaison de différents polysaccharides et de lignine.

Pour bien tirer profit de ces précieux « sucres », pour en extraire tous les « sucs », en savourer les bienfaits dans le fond de son assiette, et être bien dans son assiette, il est essentiel de compléter notre définition par une brève description des sept ingrédients de la recette parfaite « CROQUE-FIBRES ».

Cellulose

La CELLULOSE constitue l'ingrédient de base de notre recette car elle demeure la plus abondante dans tout le règne végétal. Elle forme la structure des plantes et leur confère leur rigidité. Comme l'amidon, la cellulose est composée de plusieurs molécules de glucose; ses molécules ne peuvent pas être séparées entre elles, c'est pourquoi, la cellulose est considérée comme totalement résistante aux enzymes digestives de l'homme. Par contre, les ruminants digèrent et utilisent la cellulose. On la décrit aussi comme une substance organique solide, sans couleur, sans odeur, insoluble dans l'eau et les solvants organiques.

Saviez-vous que la fibre de coton n'est essentiellement que de la cellulose? Que le bois en contient un pourcentage fort élevé et que, parmi les fruits et les légumes, la poire et les petits pois sont de ceux qui en renferment le plus?

Lignine

Le second ingrédient, la LIGNINE, est relié au premier en ce sens que lui aussi est totalement résistant à la digestion comme à la cuisson. En effet, peu importe les traitements qu'on lui fait subir, il reste dur comme du bois. Il diffère de la cellulose par sa composition chimique: ce n'est pas un polysaccharide mais un polymère d'alcools, sans formule chimique reconnue. La lignine est étroitement reliée à la cellulose dans les tissus de la plante et lui sert de liant naturel assurant plus de cohésion entre les membranes cellulaires. Croiriez-vous que le bois est composé de plus d'un quart de lignine? Qu'une vieille carotte en renferme davantage qu'une jeune? Eh oui! Tout comme les rides, la quantité de lignine dans une plante augmente avec l'âge. Aussi, disons-nous qu'une plante mûrit et non qu'elle vieillit! Autre exemple intéressant: la pelure de poire est très riche en lignine, presque autant que le très célèbre «All-Bran»; mais elle peut être cause d'irritation intestinale et de constipation si ingérée abusivement.

Hémicellulose

Ajoutons maintenant à la recette, un ingrédient plus tendre, moins fibreux: l'HÉMICELLULOSE. Il est tout aussi important que les deux premiers parce qu'il se trouve avec eux dans les parois des membranes cellulaires. Il sert à cimenter et à tenir ensemble les cellules de la plante. L'hémicellulose est surtout composée de sucres simples (xylose, arabinose, galactose, mannose) et comme telle constitue un polysaccharide non cellulosique. Cependant, c'est aussi un proche parent de la cellulose. En effet, tout comme cette dernière, il traverse l'estomac et parvient à l'intestin, intact. À partir de là, l'hémicellulose se comporte différemment. Elle devient légèrement sensible aux bactéries du côlon qui la fermentent, la dégradent partiellement avec pour résultat un ramollissement de la structure des tissus fibreux. La cuisson possède les mêmes effets. La chaleur brise la longue chaîne des glucides et ramollit la texture des produits végétaux tout comme les bactéries dans l'intestin. Une seconde caractéristique de cette fibre est son grand pouvoir d'absorption d'eau. Ces deux propriétés constituent ses plus grands atouts pour augmenter le volume et le poids du résidu intestinal et, ainsi, combattre efficacement la constipation. Notre plus riche source alimentaire, le son, en renferme 32,7%. Un record absolu parmi les fibres alimentaires! Le son peut ainsi retenir jusqu'à trois fois son poids d'eau, avantage dû à l'hémicellulose, une véritable mine de fibres alimentaires que le son!

Substances pectiques

Pour conférer moelleux, onctuosité et richesse à notre recette, incorporons les SUBSTANCES PECTIQUES sans lesquelles le mets serait sans aucune consistance ni goût. On leur doit la réussite de nos confitures et de nos gelées, ces petits délices qui mettent en branle notre imagination, nous font saliver de plaisir et nous font goûter avant même de manger. Leur plus grande qualité est de pouvoir former un gel en présence d'une quantité adéquate de sucre, d'acides et d'eau. Leur quantité est variable selon les conditions de croissance, de maturité et selon la nature du fruit ou du légume dans lequel elles se trouvent. De toutes les plantes végétales, ce sont les fruits mous et charnus mûris rapidement qui en contiennent le plus pour ne pas dire qu'ils en détiennent presque l'exclusivité. N'étant pas hydrolysables en sucres simples, ces substances sont très utiles pour contrôler la faim, la boulimie et le grignotage dus à une fringale de «sucré». On peut leur faire confiance pour nous aider à garder la taille fine sans ressentir de désagréables «creux dans l'estomac». Ce sont des coupe-faim sensationnels. Leur propriété laxative est reconnue mais on les recommande aussi pour traiter les cas de diarrhée grâce à leur affinité pour l'eau.

On trouve *quatre principales substances pectiques :*

1. l'ACIDE PECTIQUE, la plus simple d'entre elles, augmente l'acidité et l'aptitude du fruit à former un gel. Le taux d'acidité varie selon la nature et le degré de maturité des fruits et des légumes.

2. l'ACIDE PECTINIQUE est de même nature que l'acide pectique et ils existent tous les deux dans les plantes sous forme de sels. Les fruits mûrs renferment davantage d'acide pectinique pouvant aller jusqu'à une concentration dépassant 70% comparativement à moins de 10% pour l'acide pectique.

3. la PROTOPECTINE constitue le produit intermédiaire obtenu avant la formation de pectine. Elle est insoluble dans l'eau mais, sous l'action des enzymes naturellement présentes dans les fruits, elle s'hydrolyse en pectine. On la reconnaît par la résistance qu'elle confère aux fruits trop verts telles les pêches, les poires, les tomates ou les bananes qui ne se laissent pas mordre facilement. Sa présence dans les tissus végétaux assure plus de cohésion entre les cellules d'où la dureté observée. À mesure qu'elle disparaît pour faire place à la pectine, la texture s'attendrit, se relâche, la chair devient plus juteuse, et le fruit prend enfin son vrai goût.

4. la PECTINE, la mieux connue de toutes, désigne les acides pectiniques capables de former un gel. Au fur et à mesure que le fruit mûrit, la quantité de pectine s'accroît aux dépens des trois autres substances pectiques. Tous les changements qui surviennent au cours de la maturation et de la détérioration des fruits et des légumes sont dus à la proportion des quatre substances pectiques entre elles. Par exemple, des indices de détérioration du fruit s'observent dans une banane à pelure brune et de texture molle.

Gommes, mucilages et algues

La recette parfaite « CROQUE-FIBRES » ne serait pas complète sans l'apport des trois derniers ingrédients : GOMMES, MUCILAGES ET ALGUES. Ce petit groupe de composés naturels, dont les variétés défient toute classification, procure à notre estomac cette agréable sensation de plénitude si propice à la bonne digestion. Ils comblent à satiété cette sensation de vide qui nous pousse à manger entre les repas et ils meublent avantageusement un intestin déficient par leur immense pouvoir d'absorption d'eau.

De nos jours, la technologie alimentaire les utilise sur une vaste échelle. À cause de leurs rôles très diversifiés, ils nous rendent une foule de services. On les emploie pour épaissir et ajouter de la consistance aux sauces faibles; redonner du tonus aux produits fragiles comme les gélatines, les mousses, les crèmes, etc.; améliorer la texture et la stabilité de nombreux mets dont la crème glacée, les vinaigrettes et les mayonnaises. Ils figurent de ce fait sur la liste des additifs de milliers de produits manufacturés. Les fabricants en revendiquent l'usage surtout quand ils sont d'origine naturelle, non synthétique. La lecture des étiquettes donne un aperçu des utilisations multiples de ces hydrocolloïdes dans diverses industries: aliments, médicaments, textile, caoutchouc, etc.

Qui ne connaît pas la gomme de sapin et d'épinette? Cette substance gommeuse transparente ressemblant à de la résine suinte de l'écorce de certains arbres. À cause de ses propriétés élastiques et adhésives, elle représente un agent de texture très apprécié. Savez-vous que la très populaire gomme Chiclets tire son nom d'une gomme végétale appelée le chicle? Cette gomme sert de base à la fabrication de la gomme à mâcher. Dans le domaine alimentaire, les gommes les plus courantes sont, entre autres, la gomme arabique, xanthane, adragante, karaya et tragacante.

La terre regorge de plantes sauvages et de graines riches en MUCILAGES. On les nomme ainsi à cause de leur texture visqueuse très épaisse. Le lichens, la bourrache et les graines de lin en sont des sources importantes et peu coûteuses. Parce que les mucilages renferment des substances pectiques, on exploite leurs propriétés de gel et de rétention d'eau. L'industrie pharmaceutique tire avantageusement profit de cette richesse naturelle économique. Le marché des sudorifiques, des diurétiques et des laxatifs est florissant grâce à eux. Le plus connu, la gomme guar (extraite des graines de la fève cluster)*, est devenue populaire suite aux recherches sur le diabète. Elle permet de diminuer la dose d'insuline parce qu'elle retarde l'absorption du glucose dans le sang. Le «métamucil» est un autre exemple de gel laxatif à base de mucilage végétal. Si plus de gens étaient mieux informés, le commerce des laxatifs serait sûrement en perte de vitesse.

La grande vogue des aliments de santé que l'on connaît présentement englobe aussi d'autres sources de mucilages: les plantes aquatiques ou les ALGUES. L'une d'elles, l'agar-agar, par son excellente propriété de gel, remplace avantageusement la gélatine animale dans les gelées et les aspics. D'ailleurs, ce mucilage n'est pas nouveau. On l'utilise sous le nom de gélose depuis fort longtemps comme milieu de culture microbienne en laboratoire. Les alginates (sels de l'acide alginique) et la

---

*Cluster: plante herbacée originaire du sud-est de l'Asie.

carraghénine en sont d'autres exemples parmi les plus employés en industrie alimentaire. Les consommateurs peuvent se procurer plusieurs de ces substances dans les boutiques d'aliments naturels et bénéficier eux aussi de toute la puissance de la mer.

Par leur composition, leur source et leurs rôles dans l'organisme, ces trois sources de mucilages sont reconnues comme fibres au même titre que les substances pectiques ou l'hémicellulose. En variant ses sources alimentaires, on est donc assuré de consommer différentes sortes de fibres et ainsi de profiter des bienfaits propres à chacune. Il faut se rappeler qu'elles sont complémentaires et ne peuvent pas être isolées ou dissociées étant étroitement liées dans les cellules des plantes. Mettons donc l'accent sur la diversité et choisissons des aliments parmi les plus riches en fibres parce qu'ils sont savoureux, économiques et que nous aimons bien manger.

«FIBRONS-NOUS L'INTÉRIEUR, C'EST BIEN MEILLEUR.»

CHAPITRE II

À quoi servent les fibres alimentaires?

Leurs rôles sont nombreux, étonnants et aussi diversifiés que leurs sources. Comment a-t-on pu ignorer si longtemps leurs bienfaits? Tous les dix ans environ, naît un nouveau concept qui tend à expliquer l'étiologie de conditions encore mal connues. C'est ainsi que la problématique de la déficience en fibres alimentaires et de ses effets sur l'organisme a retenu l'attention. S'agit-il d'une trouvaille géniale comme le fut celle du stress ou celle des déficiences vitaminiques? Jusqu'à présent, tout porte à le croire; les faits qui ont amené les fibres sur la sellette continuent de susciter de nombreuses recherches.

L'étude des propriétés physico-chimiques des fibres alimentaires a mis en lumière trois caractéristiques importantes: leur grand pouvoir d'absorption d'eau, leur action séquestrante sur certains composés organiques et leur propriété de fermentation; elle permet de mieux préciser les nombreux effets physiologiques de ces substances «imbattables».

Leur rôle dans la constipation est certain et nullement controversé. Depuis fort longtemps, les effets laxatifs des fibres sont reconnus. Dans le gros intestin, elles absorbent l'eau à la manière d'une éponge et tout comme différentes sortes d'éponges peuvent absorber différentes quantités d'eau, le même principe s'applique à leur mode d'action. On peut donc affirmer que les fruits et les légumes riches en pectine sont plus efficaces à ce point de vue que ne le sont les produits céréaliers. En effet, la carotte peut retenir plus de vingt fois son poids d'eau comparativement au son qui ne peut l'augmenter que de trois fois. Cette affinité avec l'eau permet de faire gonfler le volume des déchets dans l'intestin donnant des selles plus volumineuses et de faciliter leur élimination en douceur.

La fermentation constitue une seconde propriété propre aux fibres non cellulosiques et solubles. Les bactéries du côlon les décomposent et s'en nourrissent, de sorte que moins de résidu est éliminé. Le volume est grand mais le poids des déchets est faible. Seule, l'hémicellulose, plus résistante et moins fermentée, passe en quantité plus importante dans les selles contribuant à augmenter davantage leur poids. Ainsi l'addition de 25 g de son dans l'alimentation provoque une augmentation du poids des selles d'environ 100 g.

La fréquence d'évacuation est un autre mérite dû à la propriété des fibres solubles. Les produits de cette réaction, des acides gras à chaîne courte, augmentent l'osmolarité intestinale et exercent une action comparable à celle d'un laxatif. En conséquence, enrichissez votre alimentation en fibres tendres et fermentescibles et dites adieu aux laxatifs.

Toutes les fibres non fermentescibles, les fibres de ballast : cellulose et lignine, possèdent aussi le pouvoir d'augmenter le poids des fèces, mais à un degré moindre que l'hémicellulose. De plus, elles favorisent l'accélération de la vitesse du transit intestinal, soit la diminution du temps de séjour des selles dans l'intestin. La durée de ce transit est d'environ soixante-dix heures pour une alimentation raffinée comparativement à plus ou moins trente-cinq heures avec une nourriture non raffinée ou fibreuse. C'est sans aucun doute la raison pour laquelle les astronautes s'accommodent si bien de rations sans fibres leur permettant cinq à six jours d'attente sans selle.

Il apparaît intéressant de noter que toutes les fibres n'exercent pas la même action. Il est évident que l'hémicellulose accélère le passage des selles alors que la pectine semble le diminuer. Autrement dit, certaines fibres sont fermentées plus intensivement dans l'intestin. Le pouvoir gonflant des fibres visqueuses permet de les utiliser avec succès pour traiter la diarrhée, réalisant un double bénéfice.

On peut donc dire que l'action combinée des «gonflants» et des fibres de «ballast» assure en tout temps une vidange adéquate et permet de normaliser la durée de séjour des selles dans l'intestin. Le secret réside donc dans un choix pertinent et un dosage approprié aux besoins.

Les fibres alimentaires de par leurs diversités demeurent la solution parfaite à tout problème relié à la constipation et un adjuvant efficace au traitement médical d'autres désordres intestinaux. Ainsi, tandis qu'une alimentation non raffinée laisse un résidu mou, souple et volumineux, en revanche, des aliments trop épurés laissent un petit résidu dur, difficile à déplacer, responsable de pressions excessives dans le côlon. Ces excès de pressions prolongés occasionnent souvent les douleurs abdominales rencontrées dans le côlon irritable et favorisent la formation des diverticules (petites poches) dans la maladie diverticulaire.

On observe aussi que les efforts répétés pour évacuer des selles trop dures causent des pressions excessives qui conduisent à une dilatation des veines de l'anus et contribuent au développement trop fréquent, hélas! des hémorroïdes.

Suite à des études épidémiologiques récentes, de nouvelles hypothèses nous permettent de relier la carence en fibres à d'autres désordres telles les tumeurs du côlon. Cependant, même si cette association semble prometteuse, elle ne prouve pas, à ce jour, la relation de cause à effet. D'autres facteurs sont liés à l'évolution de cette condition. Pour étayer cette théorie, on souligne que le grand pouvoir de rétention d'eau des fibres et leur aptitude à augmenter le volume des selles assurent la dilution du contenu intestinal. Elles diluent du même coup toutes substances cancérigènes qui pourraient être présentes, les rendant beaucoup moins nocives. Si on ajoute à cet effet, une diminution du temps de séjour des selles dans l'intestin, alliée à des évacuations plus fréquentes, on pourrait obtenir de toute évidence un des meilleurs antidotes préventifs qu'il soit possible d'espérer contre le cancer du côlon.

L'intérêt récent pour le rôle des fibres dans le contrôle du poids est bienvenu puisqu'il attire notre attention sur un domaine de la diététique par trop négligé. En termes pratiques, leurs effets réels dans la délicate question des calories, en fait, sur leurs rapports fibres / perte de poids sont tellement évidents, qu'on ne peut plus jouer à faire l'autruche. Il est grand temps d'ouvrir les yeux et de les garder grands ouverts. Un coup d'oeil à la liste des avantages suivants vous convaincra de l'efficacité indiscutable des fibres dans le contrôle de la perte du poids.

Elles préviennent de façon naturelle la surnutrition en aidant à moins manger. Les fibres sont des coupe-faim sensationnels pour une foule de raisons: on mange plus lentement, on doit obligatoirement mastiquer davantage donc on est rassasié plus vite et avec moins d'aliments; on évite du même coup l'écueil du trop-plein même quand l'assiette est pleine. En mangeant plus lentement, le centre de la faim, situé au cerveau, émet au bon moment le stop qui indique que l'on a atteint le seuil de satiété. De plus, parce qu'elles gonflent dans l'estomac, on réduit inconsciemment la quantité d'aliments consommés, on mange donc moins de calories, ce qui représente un avantage important pour amincir sa silhouette. Une fois dans l'estomac, les fibres y séjournent plus longtemps que les autres constituants alimentaires. En conséquence, on est moins porté sur le grignotage. On contrôle plus facilement, et sans risque pour sa santé, le poids que l'on souhaite atteindre, et ce, sans sacrifier le plaisir de manger. Les fibres alimentaires possèdent hors de tout doute un effet amaigrissant de longue durée éprouvé.

En ce qui concerne certaines maladies du métabolisme tels le diabète et l'hypercholestérolémie qui souvent en découlent, les preuves s'accumulent. L'influence bénéfique d'une alimentation non raffinée sur l'efficacité du meilleur contrôle de ces maladies s'impose davantage chaque jour. Ainsi, dans le cas du diabète, l'adjonction de fibres riches en amidon complexe, en pectine et autres mucilages, a permis de réduire la dose d'insuline. On observe un ralentissement dans l'absorption du glucose d'où une réduction des besoins en insuline.

L'effet séquestrant (pouvoir d'adsorption) des gommes, des mucilages et de la pectine sur les acides biliaires, le cholestérol et autres stérols expliquerait leur capacité de diminuer le taux sanguin de cholestérol. Les fibres visqueuses (gommes, mucilages, algues) rendent donc possible l'élimination d'une certaine quantité d'acides biliaires et de graisses incluant le cholestérol dans les selles. Cette propriété unique les rend très utiles comme adjuvant du traitement des maladies lipidiques et possiblement comme aide dans la prévention des troubles cardio-vasculaires.

On admet aujourd'hui, que les calculs biliaires sont reliés à d'autres pathologies: diabète, hyperlipémie, obésité. Les glucides raffinés conduisent à une surnutrition qui tend à augmenter la sécrétion du cholestérol et à diminuer la synthèse des sels biliaires causant une sursaturation de la bile. Quelle que soit la source d'où provient le cholestérol, alimentation ou synthèse au niveau du foie, il est éliminé en majeure partie dans la bile. Le métabolisme du cholestérol se trouve donc étroitement relié à celui des sels biliaires. Une sécrétion insuffisante de ces derniers ne permet pas une solubilisation adéquate du cholestérol et provoque sa précipitation en petits cristaux qui s'agglomèrent pour former les calculs biliaires.

Il n'est donc pas étonnant de constater une fréquence accrue de calculs biliaires avec l'augmentation de l'apport calorique. Cette condition étant nettement plus répandue chez les obèses. En effet, d'une richesse calorique découle très souvent une faible consommation de fibres alimentaires. Un régime pauvre en résidu modifie la solubilisation du cholestérol de la bile encourageant la stase intestinale. Il semble exister des interactions entre les fibres alimentaires, la synthèse des sels biliaires et la flore intestinale.

Pour ces raisons, un régime riche en fibres peut aider à réduire les risques de formation des calculs biliaires. Du fait que certaines fibres solubles entraînent avec elles les sels biliaires, elles constitueraient le facteur clé de la protection contre cette condition.

Ces quelques exemples illustrent de façon convaincante le rôle essentiellement préventif que peuvent jouer les fibres et justifient amplement les changements recommandés dans nos habitudes alimentaires actuelles. Une nouvelle orientation vers un type d'alimentation élevé en fibres, modéré en graisses et en sucres s'implante de plus en plus pour mieux contrer ces maladies de la nutrition.

Cette liste des rôles ne serait pas complète sans souligner le mécanisme d'action de résistance des dents à la carie et autres problèmes dentaires grâce à l'effet bénéfique des fibres alimentaires. Elles sont des brosses à dents naturelles. La mastication d'aliments fibreux donc fermes favorise la santé des dents, des gencives et stimule en plus la croissance optimale des mâchoires. La carie dentaire est accidentelle (à peu près inexistante) chez les animaux domestiques bien alimentés parce qu'on leur donne des aliments à mâcher. Voyez-vous souvent un chien avec des dents cariées ? Faisons donc de même, mastiquons nos fibres et la visite au dentiste moins fréquente deviendra un plaisir ; vous économiserez donc temps, argent et douleur.

Afin de profiter pleinement de tous les avantages que procurent les fibres alimentaires, il convient de rappeler ici l'importance de varier dans notre alimentation les sources de fibres puisque les propriétés et les rôles diffèrent selon la forme de chacune. Il est facile de consommer tous les types de fibres parce qu'on les trouve dans toute une gamme d'aliments connus disponibles dans les supermarchés. Il n'y a qu'à faire le bon choix et s'assurer de lire attentivement les étiquettes des produits manufacturés. Choisir des fibres c'est choisir d'être bien vivant, fin connaisseur, mais c'est surtout s'aimer et aimer les siens. L'option FIBRE = SANTÉ. Qui dit mieux ?

CHAPITRE III

Où trouve-t-on les fibres alimentaires?

Les fibres comestibles indispensables à notre santé sont présentes partout dans la nature. Chaque filament ou fine cellule des plantes, des fruits, des légumes ou des céréales en regorge d'importantes quantités.

La vie se manifeste forte et saine dans chaque source. Plantez un haricot ou une graine: ils germeront. Les germes de haricot mung (qui servent à préparer le chop-suey), ceux de cresson et de radis en sont des exemples. Mettez un noyau d'avocat ou une carotte dans l'eau: un joli feuillage apparaîtra et vous aurez à nouveau une plante. La vie appelle la vie et est source de santé resplendissante. On devient ce que l'on mange.

Cette nouvelle prise de conscience de l'importance des fibres dans l'alimentation nous amène à délaisser les sucres, les graisses, les aliments trop raffinés et à rechercher les produits céréaliers, les fruits, les légumes, les protéines végétales les plus riches en fibres «diététiques». Il n'existe aucune source de fibres d'origine animale. Les consommateurs avertis connaissent maintenant ce qui est bon pour eux.

Contrairement à ce que l'on pourrait penser, les fibres alimentaires ne sont pas uniquement les fils des haricots, du céleri ou des asperges que l'on peut voir à l'oeil nu. La plupart des fibres sont invisibles, bien dissimulées dans les tissus végétaux. En fait, une bonne partie d'entre elles sont gélatineuses et mucilagineuses et n'offrent pas une apparence fibreuse. Il faut savoir les découvrir au-delà de l'aspect qu'elles présentent.

Les céréales :

bien plus qu'un complément du petit déjeuner

Son

Le produit végétal qui contient le plus de fibres demeure le son de blé. Il est tout particulièrement riche en hémicellulose. Le son est l'enveloppe extérieure croquante de tous les grains céréaliers. Selon la nature du grain, la quantité et les proportions de chaque type de fibres présent diffèrent. Ainsi, dans le son de blé, 32,7% des fibres sont non cellulosiques, 8% sont de la cellulose et seulement 3% de la lignine, soit un total record de 44% de résidu fibreux. À titre d'exemple, 28 g de All-Bran, soit environ 75 ml, fournissent 8 g de fibres. Aucune autre source ne vous en offre davantage.

Faut-il pour cela ne consommer que du son ? Bien sûr que non ! On ne peut d'ailleurs pas en consommer plus de 5 à 10 g à la fois sans avoir l'impression désagréable de mâcher du bois en paillettes et sans avoir des gaz, des crampes et parfois la diarrhée. C'est pourquoi, il convient plutôt d'augmenter graduellement sa consommation quotidienne à raison de 5 ou 15 ml à la fois jusqu'à concurrence de 20 à 30 g selon ce qui peut être toléré. La modération a bien meilleur goût et épargne les inévitables conséquences dues aux excès : un intestin irrité, source de douleurs abdominales et une diminution de l'absorption de micronutriments tels que le calcium, le fer, le zinc, le cuivre et le magnésium qui se perdent dans les selles.

Toutefois, si vous avalez religieusement votre bol de All-Bran quotidiennement, vous serez sans doute heureux d'apprendre qu'il existe d'autres sources de son tels le son d'avoine et celui de maïs. Ce sont aussi de bonnes céréales pour le déjeuner. De plus, il est très facile et beaucoup plus agréable de prendre sa ration de son dans de nombreux produits de boulangerie : préparation maison ou produits prêts à manger, du pain de son en passant par les muffins, les biscuits et les céréales à grains entiers de tous genres, le son est bon jusqu'à la dernière miette.

Le son n'est pas la seule option FIBRES ; tous les grains céréaliers complets et leurs sous-produits sont avantageux pour diversifier l'apport en fibres du menu et prévenir les déficiences que pourrait produire une alimentation basée sur une seule céréale. Il est important de savoir que le son de blé ne renferme ni pectine ni gomme, donc qu'il ne peut pas contribuer à abaisser le taux de cholestérol.

Avoine

Par contre, notre bon vieux gruau d'avoine a pour sa part cette proprié-té, puisqu'une partie de ses fibres sont des gommes. Il doit sa consistan-ce poisseuse à la gomme de l'avoine. Ce qui explique peut-être que seulement 10% de l'avoine produite au Canada soit consommée par les humains et 90% par le bétail, surtout les chevaux. Et pourtant, quel gaspillage quand on sait qu'elle fournit dans des proportions bien équili-brées tous les principaux nutriments. C'est un grain complet, très riche en fibres résiduelles, qui gagne à être connu et utilisé sous toutes ses formes: entier, en flocons, en semoule ou en farine, non seulement au déjeuner mais en tout temps car il peut remplacer ou compléter le blé parfaitement bien.

Sarrasin

Connaissez-vous le blé noir? Cette céréale très ancienne qui sert à pré-parer la légendaire «galette de Séraphin»? Bien sûr, il s'agit du sarrasin consommé le plus souvent sous forme de farine dans la pâte à crêpes. Saviez-vous aussi que le grain entier rôti de sarrasin se nomme «kasha» dans certaines boutiques d'aliments naturels?

On le fait cuire comme du riz et il peut le remplacer à merveille dans tous les plats. Servi avec du lait et du miel au petit déjeuner, quel régal! Grâce à sa résistance exceptionnelle, le grain de sarrasin se culti-ve sans insecticide; il n'est pas à proprement parler une céréale, mais le fruit d'une plante apparentée à la rhubarbe. Il se révèle un aliment très sain et également une bonne source de fibres si on choisit de le consom-mer en grains à la place de tout autre féculent ou céréale trop raffinés.

Orge

Quelle est la plus ancienne céréale qui ait été cultivée? D'où provient le malt utilisé pour fabriquer la bière? Qui nous donne cette bonne soupe à consistance crémeuse et épaisse si réconfortante les jours d'hi-ver? L'orge bien sûr mais attention, l'orge perlé vendu dans les super-marchés est généralement mondé, c'est-à-dire dépouillé de son enve-loppe de son. Les magasins de produits naturels offrent le grain entier. On peut le fragmenter et obtenir de l'orge éclatée ou le moudre fine-ment pour en tirer de la farine. Ces grains ont une délicieuse saveur prononcée et tiennent bien à la cuisson. Essayez-les comme féculent dans vos petits plats cuits au four.

Seigle

Le seigle fut, jusqu'au XIXe siècle, la céréale la plus importante pour la préparation du pain. Depuis, le blé l'a remplacé. Il possède une texture semblable à celle du blé, mais il est plus foncé et a une saveur plus marquée.

Qui ne s'est pas régalé, un jour, d'un bon sandwich au *smoked meat* servi traditionnellement dans un pain de seigle ? Sa rusticité et son utilisation heureuse en boulangerie ont, de tout temps, conféré au seigle sa réputation d'aliment sûr, sain et très nutritif. Vendu sous forme de grains entiers, on peut le faire germer soi-même à la maison et augmenter sensiblement sa valeur nutritive ou le faire cuire comme une céréale chaude en flocons ou en semoule. Si vous achetez la farine, ne choisissez que de la farine de seigle brune, non tamisée, vous obtiendrez ainsi la qualité de protéines et de fibres souhaitée.

Maïs

De nos jours, le maïs compte parmi les céréales les plus cultivées au monde. Aux États-Unis, sa culture se classe au premier rang. Si vous avez voyagé au Mexique ou en Amérique du Sud vous avez sûrement goûté au pain de maïs ou aux pâtes de maïs appelées *masa* avec lesquelles on fabrique les fameuses tortillas. En effet, dans ces pays, le maïs constitue l'aliment de base. Au Canada, bien que ce grain nous ait été transmis par les Amérindiens, ce n'est qu'après 1930 que l'on commença à en produire une variété qui convenait pour l'usage industriel. Dès lors, la métamorphose du grain de maïs est incroyable et ses usages deviennent presque illimités. On l'utilise partout, depuis l'ensilage pour l'alimentation du bétail jusqu'à la distillerie, en passant par les céréales du petit déjeuner.

À l'instar des autres céréales, on la consomme aussi sous forme de semoule et sa farine se prête bien à la pâtisserie. Mais, son plus grand usage industriel demeure la fabrication d'amidon. Même le papier sur lequel ce livre est imprimé a bénéficié des excellentes propriétés de résistance, de lissé et de satiné dues sans nul doute aux feuilles qui enveloppent l'épi de maïs.

Pourquoi n'en profiterions-nous pas nous aussi ? Saviez-vous que le maïs sucré communément connu chez nous sous le nom de blé d'Inde (archaïsme signifiant blé des Indiens) contient presque 6 g de fibres alimentaires par 100 g dont environ 5 g de fibres non cellulosiques ? Réservons donc une place de choix dans nos menus au grain offrant le plus de possibilités et encourageons sa consommation comme légume, comme féculent dans nos mets en casserole, dans nos pâtisseries et évidemment au déjeuner ou à la collation ; le plus souvent possible sera le mieux.

Riz

Le riz tout comme le maïs est un autre exemple de grain de céréale utilisé avantageusement comme féculent pour remplacer la sempiternelle pomme de terre. Cependant, le riz blanc vendu aux consommateurs ressemble bien peu à la vraie céréale d'origine. Comment s'y retrouver dans toute la gamme des variétés offertes dans le commerce? Que choisir? Le riz a-t-il été dépouillé de son enveloppe de son? Chaque variété de riz possède des particularités qui donnent des résultats différents à la cuisson: ainsi le riz à grains ronds, courts ou moyens est plus collant que celui à grains longs.

Que les grains soient longs ou ronds, on les trouve entiers (riz complet) ou polis (riz blanc). Le riz doux préféré des Asiatiques est gluant, ressemble au riz rond et est légèrement sucré d'où son utilisation dans les poudings au riz et autres desserts.

Le riz brun et les polissures de riz (son du riz) restent le meilleur achat. La farine de riz brun, mélangée à d'autres farines, rend plus croustillants biscuits et craquelins. Chaque 100 g de riz brun fournit pas moins de 4 g de fibres comestibles, ce qui constitue l'équivalent d'une bonne portion. Le riz brun se prête à d'innombrables usages en cuisine et même les restes de riz cuit sont délicieux au déjeuner lorsque servi avec du yogourt ou du lait et des fruits. Son emploi ne se limite certes pas à la cuisine chinoise, si bonne soit-elle.

Que dire du riz sauvage? En dépit de son nom, il ne s'apparente pas au riz; il s'agit d'une céréale rare qui pousse à l'état sauvage en milieu aquatique. On l'appelle aussi «folle avoine» et c'est un aliment naturel très recherché à cause de sa saveur de noisette; il offre un mets raffiné qui sort de l'ordinaire et on le réserve aux grandes occasions. Il se vend toujours en grains entiers non polis et bien que son prix soit élevé, il a l'avantage de quadrupler son volume initial à la cuisson et pour cette raison il est un choix judicieux. Une petite quantité peut durer longtemps. Pourquoi alors ne pas en servir plus souvent à chaque repas où l'on reçoit des amis que l'on veut épater ou surprendre par l'originalité?

Millet

Avez-vous déjà essayé cette céréale légère et floconneuse, de saveur aussi douce que le riz qu'est le millet? Vous serez surpris d'apprendre qu'elle peut remplacer le riz dans presque toutes les recettes. De même, tout comme l'avoine, elle cuit rapidement pour donner une bouillie semblable au gruau qui dégage un arôme particulièrement agréable. Le millet cuit en cocotte, accompagné de légumes croquants et gratiné, est un exemple d'un mets «fibrement bon». On peut se le procurer partout et il est très économique tout en étant des plus nutritifs. Une véritable aubaine pour la cuisinière avisée.

Triticale

Voici enfin, ce grain miracle, la plus récente découverte dans les grains naturels, le triticale. Un croisement entre le grain de blé dur et le grain de seigle a donné naissance à cette céréale qui possède la saveur caractéristique des deux grains d'où elle provient. Sa teneur en protéines (17%) est nettement supérieure à celle des plantes dont elle est issue. On vend ce grain moulu grossièrement sous forme de farine de triticale dans les magasins d'aliments de santé. Il est désormais possible d'améliorer la valeur nutritive de tous nos mets tout en conservant les mérites en fibres alimentaires du blé entier et du seigle combinés. Offrez des plats de goût différent, savoureux et attrayants et l'on vous demandera votre secret culinaire. Vous pourrez dire avec fierté: «Je mange des fibres parce que ça goûte bon et que j'aime bien manger.»

Blé

Le blé est non seulement le plus populaire des grains de céréales mais aussi le plus économique: 0,25$ de blé concassé peut nourrir quatre personnes! Toutes les ménagères reconnaissent les bienfaits de la cuisine à base de farine de blé entier et servent maintenant du pain complet à toute la famille. De plus en plus, sur nos tables, nous trouvons des muffins au son, des biscuits de blé entier et même des tartes à la farine de blé entier. Jusqu'aux fabricants qui inondent le marché actuellement de produits riches en fibres afin de répondre aux nouveaux besoins des consommateurs. Un coup d'oeil aux étalages des céréales, des pains et autres produits de boulangerie suffit pour nous convaincre de la nouvelle vague du «granola» qui s'est emparée du public. Les végétariens ne sont plus les seuls à manger du bulgur, du couscous, du blé concassé, des müesli, etc.

Tous les produits que fournit le blé portent un nom spécifique. Ainsi, le bulgur est le plus ancien produit à base de blé préparé par les Turcs et transmis ensuite au Proche-Orient. On l'obtient en cuisant des grains de blé entier puis en les faisant sécher au four avant de les concasser. Le tabbouleh est l'un des mets à la mode en ce moment, et il consiste en une salade confectionnée avec du bulgur, du persil, de l'oignon et des tomates, le tout assaisonné de jus de citron. Quant au «couscous» dont plusieurs se vantent de connaître la règle infaillible pour le réussir, il se prépare avec des grains de blé concassé et réduits en semoule grossière appelée «couscous». À la cuisson, ces petits grains deviennent tendres et gonflés tout en restant détachés. Même si l'on sert le couscous avec des pois chiches, de la viande et des légumes, le plat tout entier tire son nom du grain lui-même. Ce mets très nourrissant et peu banal est une véritable mine de fibres alimentaires.

Ceci prouve bien que tout en recherchant des fibres, on trouve du même coup la bonne bouffe, la touche d'inédit dans les menus, sans compter tout le plaisir qu'on en retire. Dans ce domaine, il existe un précepte à retenir: plus la variété est grande, plus le plaisir est grand... et plus la préparation est longue, plus grande est la satisfaction.

Au pays nous avons la chance de pouvoir offrir au moins dix sortes de céréales à grains entiers. Nous pouvons aussi profiter de tous les sous-produits de ces divers grains céréaliers qui nous permettent de préparer un nombre illimité de plats riches en fibres et en tout autre élément nutritif. Il est grand temps d'utiliser à notre profit toute cette moisson de céréales.

Les pâtes alimentaires:

mets d'hier servis au goût d'aujourd'hui

Il ne faudrait pas passer sous silence les pâtes alimentaires à base de blé entier. On peut se procurer des pâtes de blé entier, de soya, de sarrasin et même de triticale. Ça change du goût fade des pâtes ordinaires car en plus de relever le mets avec lequel on les sert, elles nous apportent des sources d'amidon complexe et des fibres tendres. Comme vous voyez tout ce qui est fibre ne fait pas «crounche». Elles prennent un peu plus de temps à cuire que les pâtes conventionnelles mais les essayer c'est les adopter. Les magasins d'aliments de santé les offrent sous forme de macaroni longs ou en coudes, de spaghetti ou de nouilles. Laissez-vous tenter, la prochaine fois, jetez-en dans votre soupe, préparez votre macaroni au gratin ou votre recette favorite de sauce à spaghetti avec ces pâtes et vous goûterez la différence, on vous en redemandera. Sous cette forme, les fibres travaillent dans l'ombre mais aussi sûrement et efficacement que toutes les autres sortes plus dures. Peut-être les appréciez-vous déjà?

Les produits céréaliers parce qu'ils sont secs et de nature concentrée fournissent plus de fibres comparativement aux fruits et légumes qui renferment beaucoup d'eau. C'est pourquoi, ils se classent en tête de l'équipe championne FIBRES-PLUS; ils méritent, à juste titre, de former le premier groupe du menu dont ils assurent la base essentielle.

Les légumineuses :

pas si pauvres qu'on le prétend

Voici maintenant une mosaïque de légumes secs qui complètent à merveille le groupe des céréales autant par la qualité de ses protéines que celle de ses fibres. Considérées, à tort, comme les parents pauvres de la cuisine, les légumineuses, ces méconnues, sont au contraire, dures à l'ouvrage, résistantes et méritent de figurer régulièrement au menu. Leur bas prix est-il un obstacle psychologique? On se dit peut-être qu'un aliment si peu coûteux ne peut être bon. La paresse pour les apprêter explique-t-elle qu'on les délaisse? Si oui, c'est que l'on sous-estime leurs grandes possibilités gastronomiques. Leur mauvaise réputation «d'explosifs» est-elle cause de leur rejet? C'est très probable, mais une légère modification à la façon usuelle de les faire tremper et cuire offre une solution pratique qui pallie ce désavantage. Alors, pourquoi les bouder dorénavant? Existe-t-il encore des personnes qui croient qu'un repas sans viande n'en est pas un? Au Canada, on s'est trop longtemps limité aux «fèves au lard» et à la soupe aux pois. Mais, l'intérêt récent pour certaines cuisines, exotique ou mexicaine, a permis de redécouvrir d'autres variétés, leur popularité grandit peu à peu et permet de redorer leur blason.

Ainsi, il en existe 600 genres, 13 000 espèces dont pas moins de 28 sont disponibles sur le marché. Pas si pauvre que ça la famille des légumes secs. Combien en connaissez-vous? Combien surtout en consommez-vous? Amusez-vous à les superposer dans un bocal de verre et vous aurez un bibelot qui suscitera la curiosité et l'intérêt. L'échantillonnage des couleurs et des formes est si différent que vous pouvez les assembler pour obtenir une belle mosaïque. Il semble paradoxal de constater la grande diversité des légumineuses cultivées au Canada vu notre faible consommation de ce produit.

La botanique les classe en quatre groupes distincts : les haricots, les fèves, les lentilles et les pois. Pour vous aider à mieux les connaître, voici une liste descriptive de chacun des groupes.

Haricots secs

HARICOT BLANC

1. NAVY BEAN : petit et rond ; texture farineuse, saveur douce, le plus vendu et utilisé pour les fèves au lard classiques.
2. GREAT NORTHERN : graine petite et réniforme ; saveur douce, texture farineuse.
3. CANNELLINI, LUPIN : gros et réniforme ; plus farineux que les deux précédents et goût douceâtre.

GROS HARICOT ROUGE : haricot rognon

long, en forme de rognon, couleur claire ou foncée, saveur carnée, texture farineuse ; convient bien au chili, soupes, salades.

PETIT HARICOT ROUGE : haricot japonais adzuki

rond, rouge pourpre, très petit, saveur douce, texture farineuse ; utilisé dans les mets mexicains, tel le chili con carne.

HARICOT BRUN hollandais

rond, moyen, brun doré, saveur carnée, texture farineuse et moelleuse ; en vogue dans les Pays-Bas et en Scandinavie.

HARICOT ROSE : canneberge

ovale, moyen, rouge-rosâtre marbré, saveur carnée, texture farineuse ; s'utilise dans les mets mexicains, sa saveur s'harmonise bien avec celle du chili, de la tomate et de l'oignon.

HARICOT COCO ROSÉ : romain

renflé, de forme ovale, rose avec des marbrures plus foncées (perd ses taches une fois cuit), saveur douce de noix, texture moelleuse, populaire dans les mets italiens, souvent servi avec du chou ou dans le succotash. Il existe aussi une variété nommée : haricot blanc.

HARICOT PINTO

rose très pâle ou beige tacheté de brun (les taches disparaissent à la cuisson), moyen et plat à peau lisse, saveur riche et corsée, texture farineuse, utilisé dans les mets mexicains comme les haricots frits et le chili.

HARICOT NOIR : *black turtle*

petit et rond, tégument noir brillant et chair blanche, saveur riche et corsée, texture farineuse ; en vogue en Amérique du Sud, au Mexique, aux Antilles, au Brésil, etc., utilisé frit et dans les sauces épaisses, sa saveur se marie bien à celle du jambon, du poivron vert, de l'ail et de l'oignon ; relevé de jus de citron, d'ail et de cumin, il est savoureux.

HARICOT MUNG : haricot chinois mung

minuscule (le plus petit), rond, vert foncé, lorsque germé on obtient des germes de haricot mung, improprement appelés «fèves germées» avec lesquelles on prépare le chop suey, brisés en deux ils deviennent jaunes.

HARICOT À OEIL JAUNE

ovale, jaunâtre avec un hile (cicatrice) brun sur le côté, appelé aussi dolique selon sa classification botanique ; très populaire avec de la mélasse dans les Maritimes.

HARICOT À OEIL NOIR : *blackeye bean*

petit, renflé, de forme ovale, d'un blanc crémeux, avec un hile noir sur le côté ; goût particulièrement savoureux avec des oignons et des tomates ; bien prisé par les Européens et les Américains du sud des États-Unis.

HARICOTS DE LIMA

existe sous trois formes : le bébé lima, le haricot ordinaire très petit et le gros lima en forme de rognon aussi appelé haricot beurre ; vert pâle ou blanc selon la variété, plutôt plat, texture très farineuse lorsqu'il est gros.

HARICOT FLAGEOLET

le joyau de cette famille, haricot nain, allongé et rond, vert pâle ou blanc selon la variété, saveur exquise et délicate ; texture fine et moelleuse, compagnon inséparable de l'agneau et souvent utilisé dans le cassoulet.

Fèves sèches

FÈVE SOYA : haricot de soya

selon la botanique, elle appartient à la famille des fèves *Vicia faba,* on l'appelle souvent «pois chinois», ovale, jaunâtre ou beige, il en existe une variété noire appréciée pour sa chair sucrée. On trouve aussi une variété verte dont la saveur est comparable à celle des petits pois de jardin, très estimée pour sa saveur douce, lorsque cuite au four, grillée ou en purée; utilisée dans la fabrication de nombreux produits à cause de sa richesse en protéines (38%) dont le lait de soya, le fromage tofu, la farine de soya, l'huile de soya, et autres sous-produits.

FÈVE DES MARAIS: gourganes

ou fève d'Angleterre, longue, grosse et ronde, beige, brun foncé ou blanche; goût prononcé très recherché dans les soupes et casseroles, spécialité des régions du Saguenay et du Lac-Saint-Jean mais surtout du Manitoba.

LA FÉVEROLE D'ÉGYPTE: foul

ronde, renflée, brun foncé, enveloppée d'une peau résistante que l'on doit enlever après le trempage ou la cuisson; goût prononcé, chair moelleuse, très prisée par les Européens dans les soupes.

Les lentilles

LENTILLE DU PUY

minuscule, ronde, vert foncé, très goûtée pour sa saveur subtile et sa bonne tenue à la cuisson.

LENTILLE BLONDE

plus grosse, plate, d'un vert pâle uniforme, la plus courante en cuisine surtout dans les salades; conserve la forme à la cuisson, saveur fine et délicate.

LENTILLE BRUNE

la plus nourrissante de toutes, permet une grande variété de plats économiques comme le «dal» (mélange de lentilles et d'épices cuit dans une sauce épaisse).

LENTILLE ORANGE: lentille d'Égypte

décortiquée, petite et plate, goût plus fade, convient surtout aux soupes.

Pois secs

POIS JAUNE SEC

variété issue du pois commun, on peut les acheter entier ou brisé en deux moitiés; utilisé dans notre soupe aux pois nationale.

POIS VERT SEC

variété issue du pois commun, vendu entier ou brisé en deux moitiés, plus sucré et légèrement parfumé.

POIS CHICHE : garbanzo

gros pois ridé, jaune à texture croquante ; goût de noisette très populaire sous forme de purée dans l'hummus et le fameux «couscous», importé du Mexique et consommé en grande quantité dans les pays méditerranéens.

Toutes les variétés de légumineuses peuvent entrer dans la composition de vos mets préférés : soupes, pâtés, casseroles diverses, sandwiches, etc. et y remplacer le féculent proposé. Elles permettent ainsi de réaliser un nombre quasi illimité de plats succulents, nutritifs et riches en fibres. L'aliment qui complète le mieux les légumineuses est la céréale.

Pour tirer le meilleur profit de tous ces aliments et obtenir des combinaisons parfaites : protéines-fibres, il faut s'assurer de réunir les deux groupes dans un même repas. De cette façon, on obtient des protéines complètes de qualité comparable à celles d'origine animale.

Que diriez-vous, par exemple, d'un repas qui offre : haricots flageolets et riz sauvage accompagnés de pain de blé entier ou encore une salade de macaroni de soya et de haricots rouges servie avec du pain de triticale ? Couronnez le tout d'une salade de cresson, d'endives et de fruits frais saisonniers nappés de yogourt. Voilà un repas exceptionnellement nutritif, économique, et du tout dernier chic.

La richesse nutritionnelle des légumineuses est d'ores et déjà admise. Leurs sucres complexes sont constitués d'environ 60% d'amidon et de 2 à 8% de fibres cellulosiques ; en outre, elles ne renferment que 5 à 7% de sucres libres fermentescibles. On trouve également dans certaines légumineuses des quantités appréciables de protéines 17 à 25% en moyenne, sauf le soya qui à lui seul en contient jusqu'à 38%. Un avantage supplémentaire à la consommation des légumineuses réside dans leur aptitude à abaisser le taux de cholestérol sanguin.

La germination des légumineuses est un autre moyen utilisé pour améliorer considérablement leur valeur nutritive et diminuer le problème de flatulence par élimination de 15 à 45% des sucres fermentescibles (stachyose et raffinose) qu'elles contiennent. De plus, le trempage et la cuisson améliorent de beaucoup leur digestibilité. Au fur et à mesure que votre organisme s'habitue à leur présence, la sensation de ballonnement disparaît.

Posons-nous donc la question : Pourquoi ne pas en manger plus souvent ? Leur préparation est fort simple. Point besoin de les tremper toute une nuit avant de les cuire. Seuls les pois chiches, les fèves de soya et les haricots noirs requièrent absolument cette étape. Pour toutes les autres variétés, sauf les lentilles, il suffit de les faire bouillir quelques minutes, puis de les laisser tremper une heure. Jetez ensuite l'eau de trempage (pour atténuer la flatulence), rincez et couvrez d'eau fraîche, puis laissez-les mijoter jusqu'à tendreté et le tour est joué. Voici une solution de rechange pour les gens pressés : l'autocuiseur. La seule précaution consiste à ajouter trois fois plus d'eau que la quantité de légumes secs et de ne remplir l'autocuiseur qu'aux deux tiers (certains d'entre eux moussent). Cuisez-les à l'avance, ils se conservent au réfrigérateur deux semaines.

En somme, aucun prétexte, aucun préjugé ne tient lorsqu'on sait comment les préparer. Ayez-en toujours sous la main et soyez prêts à les incorporer régulièrement dans vos recettes et vos menus. Vous ferez la preuve que les légumineuses ne sont pas si humbles ni si pauvres qu'on le croit.

Les légumes secs (tableau 2)

Dans le tableau 2, on présente un résumé des principales variétés de légumes secs parmi les plus populaires. Pour faciliter vos achats, les termes équivalents en langue anglaise sont indiqués. Certaines de ces expressions sont encore parfois utilisées pour vendre le produit.

De plus, afin de prévenir toute confusion terminologique, la classification botanique a été retenue. C'est ainsi que le mot «haricot» est le nom générique d'une légumineuse appartenant à l'espèce *Phaseolus vulgaris* qui comprend de nombreuses variétés comestibles. On donne encore aujourd'hui à ce légume le nom impropre de «fève». Ce mot s'applique uniquement à des plantes de la famille *Vicia faba*.

Quant aux doliques, ils appartiennent à l'espèce *Vigna sinensis*. Il faut donc cesser de nommer «fèves» les haricots et les doliques.

TABLEAU 2
Classification des légumineuses

HARICOTS SECS	DOLIQUES	FÈVES	LENTILLES	POIS SECS
Phaseolus vulgaris	*Vigna sinensis*	*Vicia faba*	*Lens culinaris*	*Pisum sativum*
GROS HARICOT BLANC	DOLIQUE À OEIL NOIR	FÈVE DES MARAIS	LENTILLE ROUGE	POIS JAUNE ENTIER
white kidney bean	*black eye pea*	*(gourgane)*	*red lentil*	*whole yellow pea*
HARICOT BLANC FIN	*cow pea*	*broad bean*	LENTILLE VERTE	POIS VERT ENTIER
small white bean	DOLIQUE ASPERGE	*horse bean*	*green lentil*	*whole green pea*
marrow bean	*asparagus bean*	*windsor bean*	LENTILLE BRUNE	POIS FENDU JAUNE
HARICOT GREAT NORTHERN[1]	*yard-long bean*	FÉVEROLE D'ÉGYPTE	LENTILLE D'ÉGYPTE	*yellow split pea*
medium white bean	DOLIQUE D'ÉGYPTE	*foul*	*orange*	POIS FENDU VERT
PETIT HARICOT BLANC	*lablab*	FÈVE DE SOJA ou SOYA	LENTILLE FENDUE	*green split pea*
navy bean	*hyacinth bean*	*soy bean*	*split lentil*	POIS CAJAN ou POIS DU CONGO
white pea bean		*soya bean*		*red pidgeon pea*
HARICOT À OEIL JAUNE				POIS CARRÉ ou POIS D'ANGOLA
yellow eye bean				*asparagus pea*
HARICOT BLACK TURTLE[2]				*Goa bean*
haricot noir				POIS CHICHE[5] (garbanzo)
black turtle bean				*chick pea*
HARICOT CANNEBERGE				*Bengal gram*
haricot coco				
cranberry bean				
HARICOT DE LIMA				
lima bean				
HARICOT FLAGEOLET[3]				
flageolet bean				
HARICOT MUNG[4]				
mung bean				
black or golden gram				

TABLEAU 2 (suite)
Classification des légumineuses

HARICOTS SECS
HARICOT PINTO
pinto bean
HARICOT ROMAIN
roman bean
fagiolo romano
HARICOT ROSÉ
pink bean
HARICOT ROUGE (rognon)
red kidney bean
PETIT HARICOT ROUGE
small red bean
HARICOT BRUN HOLLANDAIS
HARICOT ADZUKI
haricot rouge japonais
adzuki bean

Notes : 1. Nom commercial qui ne se traduit pas.
2. Nom commercial qui ne se traduit pas.
3. Les flageolets sont parfois appelés à tort *blackeye bean.*
4. C'est avec les germes de haricot chinois mung que l'on prépare le chop suey.
5. Les pois chiches nous viennent des Arabes et appartiennent à la famille botanique *Cicerarietinum.*

Les légumes:

mangez vos légumes... sinon?

Vous demandez-vous à chaque repas comment faire manger des légumes à votre famille? Manipulez-vous vos enfants en les menaçant de les priver de dessert? Bien sûr que non: mais peut-être engraissez-vous votre poubelle avec les restes faute de savoir qu'en faire. Faites preuve d'astuce. Recyclez-les en une petite salade à boire dans votre mélangeur. Ou encore, passez-les dans une bonne soupe mijotée, bien meilleure et moins chère qu'une conserve. Pour une semaine seulement, servez des légumes crus, variez les couleurs et les formes. N'hésitez pas à combiner fruits frais et légumes crus pour rehausser l'attrait, car on mange d'abord avec ses yeux. Modifiez la présentation en les disposant esthétiquement dans une belle assiette de service placée au centre de la table et surveillez les doigts gourmands! De bons légumes bien frais, colorés et croquants, c'est toujours tentant. Un jardin chez soi sur un bout de plate-bande constitue le meilleur moyen de développer le goût et l'intérêt pour plusieurs variétés de légumes. Certains d'entre eux tels le concombre, la laitue et les tomates se cultivent très bien dans une boîte à fleurs. Amusez-vous donc tout en semant la santé.

Que ne ferait-on pas pour allonger la liste des légumes consommés quand on découvre que c'est dans la variété plus que dans la quantité ingérée que réside l'assurance de toute leur valeur nutritive. Ces derniers, trop souvent négligés, jouent pourtant un rôle important d'équilibre pour le bon fonctionnement de notre organisme. Les légumes, crus ou cuits, surgelés et même en conserve, représentent une source par excellence de fibres tendres. Ils nous apportent aussi de la cellulose et même un peu de lignine. De plus, parce qu'ils sont faibles en calories, riches en vitamines et en minéraux, ils demeurent définitivement une valeur sûre pour la taille, la santé et le budget si on sait, bien sûr, les choisir en saison. Enfin un peu d'exercice pour les gencives et l'intestin paresseux, qui dit mieux? Dès maintenant, dites avec nous: «moi, je croque dans ma carotte» et mordez du même coup la vie à pleines dents.

L'éventail des légumes s'élargit continuellement en raison de l'apparition constante de nouvelles variétés. Il se peut que vous achetiez ou cultiviez un légume dont vous ignoriez encore hier l'existence et qui diffère fort de ceux habituellement présentés dans les livres. Dans ce cas, référez-vous aux indications données pour les autres variétés de la même famille. Par exemple, si vous achetez ou cultivez de la «roquette», vous remarquez que ses petites feuilles étroites, vert foncé, à saveur forte et piquante rappellent le cresson. Il devient donc facile de l'apparenter, de la préparer et de l'utiliser de la même façon que ce dernier, c'est-à-dire avec discrétion : un soupçon suffit pour relever le goût des salades. Il en va ainsi pour plusieurs autres variétés moins connues et qui gagnent à être essayées.

Légumes feuillus

On est généralement porté à croire que les verdures fournissent le plus de fibres alimentaires. On pense surtout aux légumes feuillus comme apport en cellulose. Mais, lorsqu'on considère l'ensemble des différentes sortes de fibres, incluant la cellulose, ce sont ceux qui en fournissent le moins par 100 g. Toutes les feuilles et les tiges renferment beaucoup d'eau, jusqu'à 95% de leur poids. C'est pourquoi, il faut en consommer de plus grandes quantités pour obtenir le même apport fibreux que celui fourni par les légumes plus concentrés comme les racines et les tubercules. Ne les négligez pas pour autant : leur valeur nutritive reste certaine ; ils accompagnent et complètent à merveille les autres légumes cuits et donnent un air de fête à un menu simple.

Pour doubler leur valeur en fibres, apprêtez plus souvent leurs feuilles et leurs tiges cuites ; elles sont tout aussi savoureuses braisées et agréablement différentes. Si vous aimez les épinards cuits, réjouissez-vous : une portion de 170 ml fournit environ 8 g de fibres. Utilisez les feuilles de vigne ou d'oseille pour les farcir avec de la viande hachée et du riz brun. Celles des bettes à cardes conviennent parfaitement pour envelopper les farces ou parfumer les sauces et les ragoûts ; ça change des feuilles de choux.

Tous les légumes feuillus présentent des saveurs particulières qui varient du presque sucré au goût aigrelet en passant par l'amertume rafraîchissante de la chicorée et de l'endive. À vous de choisir, de conférer goût et moelleux à vos chiffonnades ou à vos plats cuisinés tout en augmentant subtilement votre ration de fibres alimentaires. Souvenez-vous, la cellulose et la lignine, parce qu'elles sont inattaquables, passent dans l'intestin inchangées et contribuent surtout à augmenter le poids des selles et non leur volume, c'est-à-dire qu'elles pèsent lourd mais occupent peu de place.

Légumes-tiges

Les légumes-tiges qui se prêtent le mieux à la cuisson sont, entre autres, l'asperge, le céleri, le fenouil à saveur anisée, les bettes à cardes et les cardons. Ils garantissent à la fois un succès culinaire et nutritif. Si on prend soin de les cuire pour en consommer davantage sous un plus petit volume, on profite au maximum de toutes les fibres dont ils recèlent.

Attention, il convient cependant d'employer le mode de cuisson approprié : peu ou pas d'eau ou les cuire à la vapeur. Souvent on les apprête à
l'orientale, c'est-à-dire sautés à feu vif quelques minutes pour les faire
revenir, ce qui conserve tout leur croquant et développe leur saveur. Le
brocoli à la chinoise est tout particulièrement délicieux apprêté de cette
façon.

Légumes à graines et cosses

Ce sont les légumes à graines et les cosses qui volent la vedette avec
jusqu'à 12 g de fibres par 100 g. Les petits pois toujours si populaires
ainsi que les pois mange-tout, les seuls dont on consomme la cosse avec
les graines, comptent parmi nos meilleures sources de fibres. On les
trouve en saison de la fin mai à septembre. Comme la qualité des pois
diminue rapidement après la cueillette, on conseille vivement de les
blanchir et de les congeler dès l'achat, afin d'en tirer profit toute l'année
à bon marché. Sautés au beurre, ils deviennent un petit délice lorsqu'ils
sont encore croquants.

Plantes sauvages

Les crosses de fougère, communément appelées crosses de violon, à
cause de leur forme recourbée, sont l'une des nombreuses fougères comestibles qui poussent à l'état sauvage. Elles peuvent être mangées fraîches ou cuites et remplacent aisément les asperges, les petits pois ou les
haricots frais. Leur valeur nutritive égale celle des légumes verts cultivés. De plus, leur enveloppe représente un indice sûr de fibres. Plus il y
a d'emballage naturel à consommer, plus il y a de fibres, on ne s'y
trompe pas ! Ce légume se cultive maintenant et est disponible à l'état
frais ou surgelé dans la plupart des supermarchés.

La quenouille demeure la plus importante des plantes sauvages comestibles. Elle ne sert pas qu'à décorer ; loin de là. Elle est celle qui
compte le plus de parties comestibles : ses rhizomes, ses pousses et ses
épis peuvent être mangés et permettent la réalisation de salades succulentes et surprenantes.

D'ailleurs toutes les fanes de légumes, à l'exception de celles de la
rhubarbe qui sont toxiques, devraient être recherchées et employées
dans les salades ou les potages de légumes. Même l'humble pissenlit
apporte sa part de fibres et fournit en prime de la vitamine D. Ses racines peuvent de surcroît être grillées, moulues et utilisées en guise de
café. Choisissez-les avec soin dans un endroit exempt d'herbicide.

Racines et tubercules

Heureusement il y a toujours des variétés de légumes qui subsistent en dépit des saisons. On peut se les procurer à l'état frais toute l'année bien que leur goût ne soit pas aussi sucré et que leur texture devienne dure et fibreuse. Voyons-y au moins un avantage: leurs sucres se transforment en amidon au contraire des fruits qui développent une saveur sucrée et une texture juteuse en vieillissant. Comme chacun le sait, l'amidon est un sucre complexe de même nature que l'hémicellulose et les substances pectiques. Ce vaste groupe de légumes se compose des espèces de grande consommation: les racines et tubercules. Ils sont riches en amidon, en pectine et en hémicellulose, bref toute la gamme des fibres y trouve son compte. Pas étonnant qu'on mange tant de carottes et de pommes de terre. Sans le réaliser l'instinct du «bon pour la santé» joue en notre faveur.

Bienvenue aux navets, rutabagas ou panais à l'odeur fruitée et à la chair farineuse. Ils nourrissent bien même si certains les regardent de haut, les trouvant juste bons pour la soupe ou les purées. Pour les amateurs de cuisine raffinée, cette famille de légumes offre aussi le salsifis blanc ou noir (scorsonère) à chair laiteuse et au fin goût d'huître, ou encore la patate sucrée et les topinambours dont la saveur rappelle celle de l'artichaut. Tous renferment en moyenne de 2,5 à 4 g de fibres comestibles par portion de 100 g.

Légumes-fruits et bulbes

La corne d'abondance des légumes présente en supplément les légumes-fruits qui se marient si bien entre eux. L'indifférence qu'ils suscitent provient bien souvent d'une méconnaissance de leurs divers usages. Ainsi, les aubergines brillantes et colorées, les poivrons doux à l'enveloppe croquante et charnue, les courgettes à chair onctueuse, sans oublier les tomates juteuses se transforment en ratatouille parfumée. Un modeste poivron vert farci et poché servi avec une sauce tomate piquante force le respect. De même, de banals oignons jaunes passent du rang de simple condiment à celui d'aliment à part entière dans une élégante tourte aux oignons.

Avez-vous déjà employé les cosses coupées de gombos (okra) pour épaissir vos ragoûts? Le liquide visqueux qu'elles libèrent renferme beaucoup d'amidon et de pectine qui gonflent en absorbant l'eau de cuisson, provoquant la formation d'un gel semi-liquide. Les gombos, tout comme les autres légumes-fruits, se consomment jeunes, en saison. Choisissez-les pour qu'ils vous apportent des fibres tendres et digestibles.

La sélection de vos légumes ne sera plus désormais le fruit du hasard et le privilège de quelques rares connaisseurs. Vous savez maintenant ce que vous mangez et surtout pourquoi vous le faites. Les bienfaits qui en découleront ne se feront pas attendre longtemps. Vous récolterez ce que vous avez semé: la santé dans votre vie, un trésor durable et un mieux-être permanent.

Les légumes (tableau 3)

Dans le tableau 3, on donne un large éventail des légumes et des fines herbes dont la culture est accessible au jardinier amateur. Pour vous aider à sélectionner vos aliments, les légumes sont regroupés par familles apparentées auxquelles s'ajoute une courte liste de fines herbes et de plantes sauvages qui présentent le plus d'intérêt en cuisine. Ce tableau se veut un guide d'achat en même temps qu'une base de planification du jardin potager.

Ainsi, au fil des saisons, vous profiterez de toute la gamme des légumes, des plantes et des herbes fraîches. La famille des feuilles est très diversifiée et permet de nombreuses substitutions. Quand les verdures se font plus rares ou que leur fraîcheur laisse à désirer, la famille des choux prend la relève pour les remplacer. Il en est de même pour les légumes-fruits: les courges d'hiver succèdent aux courges d'été et les variétés ne manquent pas. Ce groupe nous offre un assortiment de couleurs et de saveurs incomparables. Tous se marient bien entre eux ou avec d'autres aliments.

Les cosses et les grains de variétés de haricots, de fèves et de pois fournissent en abondance une nourriture riche en fibres alimentaires et sont à privilégier. Lorsqu'ils ne sont plus disponibles à l'état frais, on les retrouve transformés en légumes secs pour les mois d'hiver. Grâce au potager, il est possible de cultiver dans un même carré, du maïs, des haricots, des fèves et des pois, entre autres légumes, et se régaler de légumineuses fraîches.

En dépit des saisons, les racines, les tubercules et les bulbes subsistent toujours. Ils se conservent parfaitement secs si l'on sait les entreposer adéquatement. Là encore, le choix est grand et invite à créer des saveurs illimitées juste en variant, par exemple, la variété d'oignons. Les délicates tiges et fleurs sont aussi très estimées et considérées comme les aristocrates des légumes. Heureusement, la mode de la mise en bocaux ou de la congélation permet d'en servir durant toute l'année.

C'est le dernier cri que de cultiver chez soi les fines herbes aussi utiles qu'attrayantes. Elles croissent bien à l'intérieur. Vous n'avez qu'à

TABLEAU 3
Classification des légumes, des fines herbes et des plantes sauvages

FEUILLES	TIGES	RACINES	COSSES et GRAINES	LÉGUMES-FRUITS	BULBES et CONDIMENTS	PLANTES SAUVAGES et HERBES FRAÎCHES
BETTE À CARDE	CARDES	BETTERAVE	FÈVE DES MARAIS	AKEE	AIL	ANETH
CHICORÉE	CARDON	CAROTTE	(gourgane)	AUBERGINE	CHAMPIGNON[8]	BASILIC
CHOU BLANC	CÉLERI	CÉLERI-RAVE	FÈVE SOYA	AVOCAT[7]	CIBOULE	BOURRACHE
CHOU FEUILLU VERT	CHOU-RAVE	GINGEMBRE	(pois chinois)	CONCOMBRE	CIBOULETTE	CERFEUIL
CHOU POMMÉ VERT	CRAMBÉ[1]	NAVET	GOMBO	CORNICHON	ÉCHALOTE	CAPUCINE[9]
CHOU FRISÉ NON	FENOUIL	PANAIS	HARICOT À	COURGES D'ÉTÉ :	SÈCHE	CHOU GRAS[10]
POMMÉ	PALMIER (coeur)	RADIS	PARCHEMIN[5]	à la moelle	OIGNONET	CRESSON
CHOU FRISÉ DE		RAIFORT	HARICOT DE LIMA	coutors	OIGNON À	CROSSE DE FOUGÈRE
MILAN		RUTABAGA	HARICOT MANGE-	(torticolis)	MARINER	ESTRAGON
CHOU ROUGE		SALSIFIS	TOUT JAUNE	pâtisson	OIGNON BOULE	FEUILLES
CHOU DE CHINE		SCORSONÈRE[3]	(haricot beurre)	spaghetti	(petit oignon	DE MOUTARDE
(pé-tsai)			HARICOT MANGE-	zucchini	sec)	FEUILLES DE FENOUIL
CHOU-BROCOLI			TOUT VERT		OIGNON BLANC	FEUILLES D'ORIGAN
ENDIVE	FLEURS	TUBERCULES	HARICOT VERT		(argenté)	LIVÈCHE[11]
ÉPINARD			D'ESPAGNE	COURGES D'HIVER :	OIGNON	MARJOLAINE
FANES DE :	ACOUB[2]	CROSNE	MAÏS	butternut	D'ESPAGNE	MENTHE
betterave	ARTICHAUT[2]	DU JAPON[4]	POIS (sucré)	(forme de poire)	OIGNON JAUNE	ORTIE
navet	ASPERGE	IGNAME	POIS À PARCHEMIN[6]	chayotte	OIGNON ROUGE	PERSIL
radis	BROCOLI	PATATE (douce)	POIS MANGE-TOUT	giraumon turban	OIGNON VERT	PISSENLIT
FEUILLES DE VIGNE	CHOU-FLEUR	POMME DE TERRE	POIS CARRÉ (ridé)	hubbard	POIREAU	PLANTAIN[12]
FEUILLES D'OSEILLE	CHOU DE BRUXELLES	TARO		jaque	ROCAMBOLE	
LAITUE ASPERGE	POUSSES	TOPINAMBOUR		(arbre à pain)	(oignon	
LAITUE BATAVIA	DE BAMBOU			musquée	d'Égypte)	
LAITUE BOSTON				potiron		

53

TABLEAU 3 (suite)
Classification des légumes, des fines herbes et des plantes sauvages

FEUILLES	LÉGUMES-FRUITS	PLANTES SAUVAGES et HERBES FRAÎCHES
LAITUE BUTTERHEAD LAITUE FRISÉE À COUPER LAITUE POMMÉE (iceberg) LAITUE ROMAINE MÂCHE SCAROLE (laitue chicorée)	POIVRON DOUX jaune rouge vert PIMENT BRÛLANT jaune (banane) rouge (cayenne) TOMATE JAUNE TOMATE ROUGE TOMATE ROSE DE SERRE TOMATE CERISE TOMATE PRUNE (italienne)	LUZERNE QUENOUILLE ROMARIN ROQUETTE[13] SAUGE THYM VIOLETTE[14] (blanche — bleue) **PLANTES SAUVAGES/ AUTRES*** AMARANTHE ANGÉLIQUE ARROCHE POURPIER TÉTRAGONE * Toutes ces feuilles s'apprêtent comme des épinards

les couper souvent pour aromatiser les mets de tous les jours. Des herbes fraîches à l'année dans votre cuisine, à portée de la main, c'est tentant, non?

Enfin, que dire des plantes qui poussent toutes seules dans votre jardin ou sur votre pelouse? Les connaisseurs affirment que, non seulement elles sont saines et nutritives, mais qu'elles sont d'un appoint précieux pour votre santé et votre cuisine. Ne les méprisez plus et reconnaissez vous aussi leurs vertus! Elles sont si abondantes que leur source est inépuisable. Vous n'avez qu'à vous pencher chez vous pour cueillir ce surplus de fibres que vous considériez comme de la mauvaise herbe. Ne jetez plus vos «choux gras»... ça se mange!

NOTES (tableau 3)

1. CRAMBÉ: Légume-tige appelé aussi le «crambé maritime», plante vivace aux feuilles jaunâtres, charnues, arrondies, aux bords dentelés, frisées au sommet. Il a de nombreuses petites fleurs blanches ou jaunes, odorantes. Ses feuilles se préparent comme les épinards. Les pétioles se consomment crus ou cuits, agrémentés d'une sauce.

2. ARTICHAUT: Chardon qui se cultive surtout pour sa tête de boutons floraux et son coeur tendre niché tout au fond.

   ACOUB: Variété de chardon dont les racines, les pousses et les bourgeons sont comestibles; sa saveur ressemble à la fois à celle de l'artichaut et à celle de l'asperge.

3. SCORSONÈRE: Salsifis à peau noire et à chair laiteuse; son goût rappelle celui de l'huître.

4. CROSNE: Tubercule aussi nommé l'«artichaut japonais». Sa saveur est identique à celle de l'artichaut et du topinambour, bien que nullement apparentés entre eux. Le crosne et le topinambour, à l'encontre de l'artichaut, se cultivent pour leurs chapelets de tubercules souterrains et se consomment comme légumes.

5. HARICOT À PARCHEMIN: Haricot qui appartient à la famille des légumineuses (*Phaseolus vulgaris*) et se consomme à l'état frais pour ses grains renfermés dans une gousse. Lorsqu'il est tendre et jeune, il est délicieux quand on le mange avec sa cosse.

6. POIS À PARCHEMIN: Tout comme le haricot à parchemin, il appartient à la famille des légumineuses appelée *Pisum sativum* qui se consomme surtout sous forme de pois secs. Cependant, à l'état frais, quand il est jeune et tendre, on peut écosser sa gousse et manger ses pois, tout comme on le fait pour les petits pois plus sucrés.

7. AVOCAT: Fruit qu'on prépare en cuisine comme un légume. Sa chair crémeuse et douce n'est ni sucrée, ni acide comme celle du fruit.

8. CHAMPIGNON: Végétal cryptogame très apprécié pour sa qualité de condiment. Il n'est pas à proprement parler un légume. Il relève la saveur de tous les plats cuisinés par sa teneur en glutamate de sodium.

9. CAPUCINE: Fleur aux feuilles très foncées. Sa saveur piquante et rafraîchissante ouvre l'appétit. De plus, la fleur de capucine est très sucrée et délicieuse. Elle se cultive dans votre plate-bande et constitue une nourriture saine et utile à peu de frais. La médecine populaire lui confère une action bactériostatique pour traiter la dysenterie.

10. CHOU GRAS: Plante qui appartient à la famille des chénopodes comme les épinards. Il se retrouve dans tous les jardins et est considéré comme une mauvaise herbe. On le reconnaît facilement à sa feuille grasse et à la poudre blanche qui recouvre l'envers de la feuille. Sa tige est striée de rouge. On lui attribue bien des mérites, dont sa valeur nutritive et sa texture croquante et juteuse, plaisante à mastiquer. On peut l'apprêter aussi bien cru que cuit. Il est si abondant et si important qu'on lui doit probablement l'expression populaire «jeter ses choux gras».

11. LIVÈCHE: Herbe qui fait partie de la famille des ombellifères, tout comme l'hysope, le basilic et le serpolet (à ne pas confondre avec le thym commun). Toutes ces fines herbes ont en commun une saveur agréable, douce-amère qui convient bien aux ragoûts et aux légumes cuits. La livèche est aussi cultivée pour ses graines dépuratives et stimulantes.

12. PLANTAIN: Verdure sauvage qui pousse sur toutes les pelouses mal entretenues. Ses jeunes feuilles, seules, sont agréables à consommer en salade ou en potage. On le reconnaît à sa feuille ligneuse et ovale.

13. ROQUETTE: Plante utilisée comme condiment appartenant à la famille de la moutarde. Sa saveur forte et piquante rappelle celle du cresson. Quelques feuilles suffisent pour relever les plats ou les salades.

14. VIOLETTE (blanche — bleue): Cette plante au parfum délicat est aussi bonne que belle. Sa feuille d'un vert tendre est riche en vitamines A et C. On peut s'en servir pour créer de magnifiques salades. Les Amérindiens utilisaient même les fleurs pour en faire un sirop précieux d'un goût raffiné délicieux.

Les fruits:

petites gâteries... souvent oubliées à découvrir

Si les fruits n'existaient pas, il faudrait les inventer. Ils font partie intégrante de notre univers depuis que le monde est monde. L'histoire nous raconte que pour avoir goûté au fruit défendu Adam et Ève furent chassés du paradis terrestre. Dans la vie de tous les jours, qui ne s'est pas fait chanter «la pomme»? Beaucoup de traditions nous relient à ces petits délices et que d'agréables souvenirs on leur doit. Qui n'a pas, enfant, trouvé dans son bas de Noël une orange, une pomme ou une banane, ou à une fête foraine dégusté une pomme de tire? Il fut un temps où les oranges et autres fruits étaient considérés comme un luxe dégusté en de rares occasions. Heureusement pour nous cette ère relève du passé.

Lors de grands dîners, le plateau de fruits ne constitue-t-il pas le dernier service fort apprécié des convives? Beaucoup de ménagères n'attendent-elles pas avec impatience la venue de l'été pour réaliser la confection des confitures annuelles? N'est-il pas naturel d'offrir en présent, un panier de fruits à une personne malade ou à un être cher pour souligner une occasion spéciale? Inconsciemment, dans notre esprit, on établit un lien entre fruit et santé. Les fruits sont les petites gâteries que la terre, dans sa générosité, nous offre en supplément. Point besoin de pâtisseries, tartes et autres desserts de même acabit pour vivre mieux, mais on a besoin des fruits et de leur inestimable valeur nutritive.

Pour le commun des mortels, il reste parfois difficile de départager certains légumes-fruits des fruits véritables. Pour le botaniste, les fruits sont issus de l'ovaire de la fleur et doivent contenir des graines. Cependant, c'est l'usage qui détermine s'ils seront servis comme légume ou comme dessert. Mais, il n'existe aucune raison de confiner les fruits et les légumes dans des emplois sur mesure. En hors-d'oeuvre, on peut fort bien présenter melons, pamplemousses, figues fraîches ou ananas. En guise de dessert, offrir un gâteau aux pommes de terre ou des biscuits au rutabaga. Saviez-vous que les jeunes pousses de rhubarbe étaient autrefois consommées comme des asperges? Ou encore, sortir des oubliettes ce surprenant gâteau aux tomates qui mérite d'être remis à l'honneur, et pourquoi pas une tarte au panais: une innovation tout à fait délectable.

Peu importe comment, les fruits sont absolument irrésistibles. N'y a-t-il rien de plus beau qu'une fraise, de plus suave qu'une pomme, de plus délicat qu'un bleuet? Devant tant de munificence, le moins que l'on puisse faire consiste à les apprécier et pas seulement au dessert.

Alliez fruits et fromages, superposez-les dans un élégant «diplomate» ou mariez-les avec les cailles ou l'aristocratique canard. Dans les plats salés ou sucrés, les fruits ont fait leurs preuves : ils font merveille !

Fruitez-vous le bec, c'est excellent pour la santé. Fait certain, vous pouvez augmenter votre apport quotidien de fibres en les incorporant de façon journalière au menu : frais de préférence, séchés ou cuits dans un sirop léger, leur présence est indispensable. De plus, la majorité d'entre eux renferment peu de calories et beaucoup d'eau donc double avantage pour l'organisme.

Le melon

La chair du melon renferme près de 95% d'eau. Une tranche de pastèque ou de melon glacé désaltère autant qu'une limonade avec les fibres en plus ; les melons d'hiver sont aussi délicieux. Leur écorce devient des coupes pour les salades et leurs graines, une fois grillées, des collations nutritives. Rien ne se perd, il s'agit d'utiliser sa créativité à son profit et à celui de son portefeuille. Parce que le melon renferme beaucoup d'eau, il contient moins de fibres et de calories que les fruits plus concentrés. Il invite à reprendre une seconde portion ou à en manger fréquemment durant la saison chaude : une tranche épaisse de melon fournit 2 g de fibres. Profitez-en.

Les fruits à coeur

Les fruits à coeur contiennent environ 85% d'eau. Dans ce groupe la pomme rivalise avec la poire en popularité mais cette dernière l'emporte pour l'apport fibreux. La poire est parmi les fruits les plus riches en cet élément. La pomme devient de plus en plus prolifique : on assiste à une multiplication incessante des espèces et des variétés. Il en existe actuellement plus de trois cents différentes, incluant la nèfle d'Amérique ou sapotille, petite pomme brune à la pulpe brunâtre et onctueuse qui à elle seule contient pas moins de 8 g de fibres. Elle s'avère délicieuse en sauce pour accompagner viandes et gibiers. Seuls la pomme sauvage et le coing se consomment toujours cuits, en compote ou au four, car ces espèces sont trop âpres pour être mangées fraîches. Ces fruits comptent parmi nos bonnes sources de pectine.

Les fruits à noyau

De la mangue à la datte, les fruits à noyau offrent une chair pulpeuse, riche en pectine, en glucides (sucres) et en acides organiques leur conférant vigueur et saveur.

Avec leur parfum aromatique, l'abricot, la pêche ou la nectarine se glissent aussi bien dans les mets sucrés que salés et demeurent l'accompagnement parfait de l'agneau et du porc. Les cerises pourpres charnues et tendres se prêtent à la cuisson bien qu'elles soient une collation de choix. La quetsche, grosse prune à peau bleutée, originaire de l'Île d'Orléans est délicieuse crue, en tarte ou en compote. On compte maintes variétés de prunes allant de la grosseur d'une bille à celle d'une petite pêche; même les formes et les couleurs diffèrent : rondes ou oblongues, elles passent du jaune d'or, au vert-jaune ou au rouge. Utilisez-les pour agrémenter maints plats de viandes. Ces fruits offrent plus de fibres parce que leur pelure est comestible. Conservez-les en tout temps.

À maturité, la chair de la mangue est jaune pâle, très sucrée et filamenteuse. Préparez d'exquises salades de fruits, des mousses et des chutneys pour mieux la faire connaître et apprécier. Le plus petit des fruits à noyau, la datte, à la chair onctueuse et très nutritive est des plus savoureuses lorsqu'elle est molle et fraîche. Elle fait bon ménage avec les fruits frais ou secs ainsi qu'avec les produits céréaliers. Vous pouvez l'incorporer à vos céréales, vos muffins, pains et autres pâtisseries pour en relever l'apport fibreux. Une douzaine de dattes séchées, soit 100 g ajoute plus de 8 g de fibres alimentaires à votre mets. C'est «fibrement» alléchant n'est-ce-pas?

Les fruits charnus

Les fruits charnus, drupes et baies, sont tout aussi riches en variétés qu'en fibres alimentaires : les groseilles, les mûres noires, les bleuets et les framboises l'emportent avec une valeur de 6 à 8 g de fibres par 100 g. Regardons de plus près leurs vertus cachées. Succulentes et fondantes, gorgées de jus, les fraises, framboises, mûres et groseilles se mangent fraîches ou cuites, seules ou en compagnie d'autres fruits, en tarte, en compote ou en confiture. Elles colorent et relèvent maints desserts et peuvent être substituées l'une à l'autre dans n'importe quelle préparation. Elles sont reines de la diversité et possèdent à la fois beaucoup de peau ou de graines par rapport à leur petit volume. Consommez les airelles et les canneberges cuites entières plutôt qu'en gelée lisse. Conservez les pelures des fruits quand vous les mijotez en compote, en confiture et en dessert ou encore réduisez-les en purée dans le mélangeur pour obtenir des sauces parfaites. Toutes les suggestions sont bonnes si on les garde entiers, bien habillés. Ils valent bien la peine de s'arrêter pour les cueillir et les savourer à leur meilleur. Faites amples provisions de gadelles, de cenelles et de pimbinas : elles poussent à l'état sauvage et ne coûtent rien sauf un peu de votre temps.

Les agrumes

Les agrumes, au jus acide ou sucré et à la chair juteuse, possèdent une

pulpe et une écorce qui comptent parmi nos meilleures sources de substances pectiques. On ne s'étonne donc pas de voir autant de confitures
ou de marmelades d'oranges et de pamplemousses. On sait aussi que le
citron est irremplaçable pour la cuisine. Son jus ajoute une note acidulée à toutes les boissons et empêche la chair de certains fruits, telles
pommes ou poires, de brunir au contact de l'air. À l'intention expresse
des gourmands, la chair ou le zeste offrent de nombreuses possibilités :
le zeste finement râpé fruite bien des plats, l'écorce découpée en julienne sert de garniture ; séchée, elle s'ajoute aux bouquets garnis.

Tous les agrumes sans exception constituent un réel délice de l'entrée
au dessert. Le matin, au petit déjeuner, êtes-vous continuellement dans
le jus ? Attention ! Les jus citrins sont peut-être riches en vitamines C
mais sont zéro en fibres. Pour profiter de toutes leurs fibres bienfaisantes il faut pouvoir et vouloir les mastiquer. Le jus d'orange matinal
se boit en quelques secondes, il en faut un peu plus pour mastiquer une
orange, êtes-vous si pressés ?

Les fruits pulpeux

Les fruits pulpeux qui contiennent beaucoup de graines proportionnel-
lement à la chair sont les privilégiés des fibres ; la grande majorité d'entre eux se mangent à la cuillère en prélevant la pulpe avec les graines
jusqu'à l'écorce. Selon la saison, on peut consommer de cette façon : le
kiwi, le kaki, le feijoa, la figue de Barbarie (poire cactus), la goyave, la
papaye ou encore la grenadille (fruit de la passion) qui, à elle seule,
contient plus de 15 g de fibres comestibles. Même la banane renfermait
jadis des graines foncées et amères. Ce n'est qu'à la fin du XIXe siècle, à
la suite de croisements sélectifs, qu'on a réussi à les éliminer.

Les fruits séchés

Les fruits séchés sont une véritable manne de fibres alimentaires : plus
particulièrement les pruneaux, les abricots et les figues. Chaque 100 g
de ces fruits crus peut apporter jusqu'à 18 g de résidu fibreux. Ils sont
reconnus et largement employés pour leur grande efficacité laxative,
douce et sans le moindre risque d'irritation intestinale. D'ailleurs, le
principe actif des pruneaux ou du jus de pruneaux est identifié chimiquement sous le nom de «déhydroxyphénylisatin», substance qui agit
comme un laxatif chimique.

Souvenez-vous, quels que soient les mérites d'un fruit, il convient
de les varier et de les mélanger avec bonheur pour profiter au mieux
des avantages des différents types de fibres que chacun renferme. Pour
les utiliser judicieusement, tenez compte surtout de la portion comestible, c'est-à-dire de la qualité de la chair et des pourcentages d'eau qui

diminuent la quantité de fibres. Préférez-les crus le plus souvent et pochez les fruits trop fermes. Ils jouent un rôle exceptionnel, si vous savez mettre à profit leurs importantes propriétés nutritives et aromatiques.

Les fruits sont les joyaux de la création, ils sont drôlement plus savoureux et nutritifs que toutes les pâtisseries «super chouettes» en étalage dans les épiceries. Dorénavant, considérez-les comme une source d'inspiration culinaire et de fibres essentielles.

Les fruits (tableau 4)

Dans le tableau 4, apparaissent quelques-unes des variétés de fruits cultivés commercialement et aussi peu communs que la nèfle ou le litchi que l'on trouve rarement sur le marché. Avez-vous la nostalgie des fruits de votre enfance? Vous souvenez-vous des gadelles, des mûres, des cerises ou des cenelles que vous ramassiez à l'état sauvage? Bien que ces savoureux petits fruits soient à peu près disparus dans le commerce, par bonheur, leur culture reste toujours accessible, et ce même dans votre petit jardin!

Par contre, nous disposons aujourd'hui d'un choix presque illimité de fruits qui se succèdent tout au long de l'année. Grâce à l'importation et aux raffinements de la culture, de nouveaux fruits font sans cesse leur apparition aux étalages. Le regain d'intérêt observé pour les fruits exotiques et sauvages en est la preuve. La liste des fruits suggérés ne prétend pas les énumérer tous, mais elle offre l'avantage de regrouper les fruits présentant des caractéristiques communes. Cependant, il appartient à chacun de choisir, selon la disponibilité et les goûts particuliers, parmi les innombrables variétés offertes pour chaque catégorie mentionnée. Par exemple, il vous faudra choisir entre une pomme McIntosh ou Spartan, ou encore entre une orange Navel ou Valence. Préférez-vous une poire Bartlett ou Anjou? Des raisins verts Alméria ou Thompson? À vous de les découvrir.

En effet, selon le groupe, la sorte de fibres présentes diffère: certains comme les drupes sont très riches en pectine alors que d'autres, tels que les noix et les graines, fournissent davantage de cellulose. D'où l'importance de consommer régulièrement des fruits de chaque catégorie pour vous assurer d'en retirer tous les bienfaits. Les fruits représentent une valeur sûre en plus d'être très pratiques: du plat principal à l'entremets, en passant par la soupe ou les salades, vous pouvez concocter des plats exotiques, rafraîchissants et surprenants, capables d'aiguiser l'appétit le plus rebelle. Laissez-vous tenter par toute variété inconnue et substituez les fruits d'un même groupe pour créer des saveurs inédites qui vous mèneront droit au septième ciel!

TABLEAU 4

Classification des fruits, des noix et des graines

DRUPES[1] À NOYAU (central)	FRUITS À COEUR	FRUITS À GRAINES (multiples)	FRUITS CHARNUS À PÉPINS – BAIES	FRUITS CITRINS	FRUITS-LÉGUMES[26]	NOIX / GRAINES
ABRICOT	ANANAS	BANANE	AIRELLES:	CÉDRAT[23]	MELONS:	AMANDE DOUCE
BRUGNON[2]	ALISE ou PETITE POIRE[7]	BANANE PLANTAIN (à cuire)	canneberge	CITRON	cantaloup	ARACHIDE
CERISES DOUCES:	COING[8]	CARAMBOLE[11]	myrtille[16] (bleuet)	CLÉMENTINE	citrouille	AVELINE (noisette cultivée)
bigarreau	NÈFLE[9]:	CHÉRIMOLE[12]	pimbina[17]	KUMQUAT[24]	melon brodé	CACAHUÈTE[28]
bing	sapotille	FEIJOA[13]	GROSEILLES:	LIME, LIMETTE ou CITRON VERT	melon d'eau ou pastèque	CHÂTAIGNE[29]
guigne, etc.	bibasse	FIGUE[14]	cassis	MANDARINES:	melon casaba	GLAND (noix du chêne)
CERISES ACIDES:	POMMES:	GOYAVE	gadelle (sauvage)	Kinnow	melon Honey-dew	MACADÉMIA
griotte	Lobo	GRENADE	groseille à maquereau[18]	Satsuma, etc.	(de miel), etc.	MARRON
merise	Melba	KAKI ou (plaquemine, figue-caque)	groseille à grappes[19]	ORANGES:	OLIVE NOIRE	NOISETTE
marasque, etc.	McIntosh	KIWI	MÛRES[20]:	Navel	OLIVE VERTE	NOIX DU BRÉSIL
DATTE MOLLE ou DEMI-SÈCHE	Newton, etc.	PAPAYE	mûre arctique (chicouté)	Valence	RHUBARBE[27]	NOIX DE CAJOU
JUJUBE ou DATTE CHINOISE	POMMETTE[10]	POIRE CACTUS[15] ou (figue de barbarie)	mûre de Boysen	Jaffa, etc.		NOIX DE COCO
LITCHI[3]	POIRES:		mûre de Logan	PAMPLEMOUSSES (blancs ou roses)		NOIX DE GRENOBLE[30]
MANGUE	Anjou		CENELLE[21]	TANGELO		NOIX DE PÉCAN (pacane)
MANGOUSTE[4]	Bartlett			TANGERINE		PIGNON - PIGNE
NECTARINE	Bosc					PISTACHE
	Comice, etc.					

TABLEAU 4 (suite)
Classification des fruits, des noix et des graines

DRUPES[1] À NOYAU (central)	FRUITS À COEUR	FRUITS À GRAINES (multiples)	FRUITS CHARNUS À PÉPINS — BAIES	FRUITS CITRINS	FRUITS-LÉGUMES[26]	NOIX/GRAINES
PÊCHE		PASSIFLORE ou GRENADILLE (fruit de la passion)	FRAISE	UGLI[25]		GRAINES DE:
PRUNES:			FRAMBOISE			aneth
Reine-Claude			RAISINS DE TABLE			anis
quetsche			Noir:			carvi
prune à pruneau			Ribier			citrouille
prunelle[5], etc.			Concord, etc.			coriandre
RAMBUTAN. LITCHI CHEVELU[6]			Rouge:			courge
			Flame			fenouil
			Empereur, etc.			melon
			Vert:			pavot
			Alméria			plantain
			Thompson, etc.			sésame
			RAISIN DE CORINTHE			tournesol
			RAISIN DE SMYRNE[22]			

NOTES (tableau 4)

1. DRUPE : Fruit charnu dont l'endocarpe lignifié forme un noyau central.

2. BRUGNON : Pêche à peau lisse et à noyau adhérent ; tandis que la nectarine désigne le même fruit, mais à noyau libre.

3. LITCHI : Petit fruit à peu près de la grosseur d'une fraise et de la même couleur. Sa mince pelure à l'apparence de cuir dissimule une pulpe blanche et sucrée (comme celle du raisin) au centre de laquelle se niche une seule graine. On le mange tel quel le plus souvent, ou sous forme séchée (noix de litchi).

4. MANGOUSTE : Fruit tropical ressemblant à une grosse pomme, se terminant par un pédoncule, entouré de quatre feuilles épaisses. La chair a la texture de la prune et son goût très parfumé rappelle à la fois l'ananas et l'abricot. Il laisse un arrière-goût piquant, agréable, et très rafraîchissant. La mangouste se mange fraîche dans les salades de fruits exotiques.

5. PRUNELLE : Petite prune sauvage de couleur bleu-pourpre avec laquelle on prépare la liqueur de prunelle.

6. RAMBUTAN — LITCHI CHEVELU : Fruit d'un arbre apparenté au litchi ; son apparence ressemble à une châtaigne. La pelure jaune orangé est recouverte d'un duvet doux. La chair est blanche et translucide et adhère à un noyau plat. Son goût de muscat le rend excellent dans les salades de fruits.

7. ALISE — PETITE POIRE : Petit fruit de l'amélanchier ; la grosseur varie depuis la taille d'une baie jusqu'à celle de la pommette. C'est une sorte de poires qui doit être consommée blette ou très très mûre. On l'utilise en cuisine un peu comme les canneberges ; en gelée ou en confiture, il est excellent !

8. COING : Fruit en forme de poire, à épiderme jaune épais et duveteux. Son parfum est pénétrant et sa chair est trop âpre pour être mangée crue. À cause de son goût aigre et de sa haute teneur en pectine, ce fruit fait d'excellentes marmelades, confitures, sans oublier les beurres et sirops exquis.

9. NÈFLE DU JAPON : Appelée aussi «bibasse», provient du néflier, arbre ressemblant au pommier. La nèfle d'Amérique se nomme «sapotille». C'est un petit fruit rond entouré de lobes en forme de calice. Il se consomme lorsque blet, quand la chair est brune, juteuse et sucrée. Dans le commerce, il est difficile de les acheter fraîches, mais on peut se les procurer en conserve et les utiliser en compote, en tarte comme la pomme.

10. POMMETTE : C'est à tort que la pommette est appelée «pomme sauvage», puisqu'elle est très souvent cultivée. Sa chair très acidulée et riche en pectine la rend extraordinaire pour la confection de gelée ou de beurre de pommettes utilisées dans les desserts. Les pommes de reinette et d'api sont des variétés de petites pommes.

11. CARAMBOLE: Fruit exotique, jaune vif, d'environ 8 cm; sa chair jaune pâle contient de petites graines et sa saveur rappelle celle du citron. Lorsque coupé transversalement, on observe cinq incurvations formant une étoile. On l'utilise autant comme fruit que comme légume pour accompagner viandes ou poissons. On peut aussi le consommer avec la pelure quand il est bien mûr.

12. CHÉRIMOLE: Fruit exotique à pulpe crémeuse, avec des graines noires au centre; ce fruit en forme de coeur peut se présenter recouvert d'une pelure lisse, bosselée ou squameuse très fragile. La chair rappelle le goût de l'ananas et se mange à la cuillère.

13. FEIJOA: Fruit du Brésil de forme ovale, à pelure mince verte. Sa chair granuleuse semblable à celle de la poire contient une pulpe gélatineuse, riche en pectine. Les graines du fruit sont comestibles. Son goût est un délicieux mélange d'ananas et de fraise. Pour le manger, il suffit de le peler et de prélever la pulpe avec les graines.

14. FIGUE: La figue fraîche se présente comme un gros bulbe charnu renfermant environ 1 600 graines comestibles qui sont en réalité le fruit lui-même et non l'enveloppe charnue qui sert de réceptacle aux graines. Il en existe des variétés vertes, marron ou pourpres. Pour les avoir séchées: on les laisse tomber d'elles-mêmes; elles sont alors partiellement sèches et on termine de les sécher au soleil.

15. POIRE CACTUS: Fruit d'un cactus, l'oponce; il ressemble à une grosse poire jaune teintée de rouge. La pelure est recouverte d'épines et sa chair rouge framboise goûte le melon d'eau. Pour le manger, l'éplucher en le tenant avec une fourchette; décoller la pelure avec un couteau ciselé et déguster la pulpe riche en pectine avec les graines.

16. MYRTILLE: Elle n'est pas commercialisée au Canada. Cependant, on la retrouve importée d'Europe. Le bleuet cultivé ou sauvage est une espèce botanique voisine plus couramment répandue dans nos régions. On nomme aussi le bleuet «myrtille d'Amérique».

17. PIMBINA: Fruit de la viorne dont l'apparence et la saveur sont quasi identiques à celles des canneberges. Il se consomme cuit, en gelée ou en compote.

18. GROSEILLE À MAQUEREAU: Fruit d'un arbrisseau très épineux aux baies jaune verdâtre ou vertes, le plus souvent utilisées en tarte et en confiture: cueillies avant maturité leur teneur en pectine est maximale.

19. GROSEILLE À GRAPPE: Fruit rouge ou blanc d'un arbuste apparenté au cassis. Les baies s'épanouissent en grappes. Quant au mot «gadelle», il constitue un canadianisme de bon aloi pour désigner la groseille à grappe.

20. MÛRE: Petit fruit de la ronce qui pousse à l'état sauvage. Les mûres de Logan et les mûres de Boysen sont deux des nombreuses variétés cultivées; la baie de Logan est un hybride de framboise et de mûre sauvage. La mûre de Boysen résulterait d'un croisement entre la mûre, la framboise et la mûre de Logan. On trouve ces petits fruits de juin à août.

Leurs graines constituent une excellente source de fibres naturelles, irrésistibles consommées telles quelles, elles font de merveilleuses confitures ou sirops.

21. CENELLE : Baie rouge de l'aubépine et du houx poussant à l'état sauvage : elle est plus ou moins comestible crue.

22. RAISIN DE SMYRNE : Ce nom s'applique à tous les raisins blonds dits «sultanines», quelle que soit leur provenance.

23. CÉDRAT : Fruit du cédratier apparemment issu du citronnier et du limettier. Il ressemble à un gros citron. Sa chair très acidulée est utilisée pour son jus et sa pelure confite uniquement. On en fait aussi du zeste déshydraté. Comme fruit confit, il est excellent pour son usage dans les boissons et les desserts.

24. KUMQUAT : Minuscule orange à l'écorce mince et tendre ; il se mange en entier ; la saveur sucrée de l'écorce compense l'acidité de la chair.

25. UGLI : Fruit hybride du pamplemousse, de la tangerine et de l'orange. Il ressemble à un gros pamplemousse à pelure très épaisse, rugueuse et molle. Sa chair est plus sucrée que celle du pamplemousse, mais moins que celle de l'orange. Il est pileux et contient peu de pépins.

26. FRUITS-LÉGUMES : Fruits traités dans les jardins comme des légumes ; ils poussent dans les mêmes conditions que ces derniers. Leur goût doux et sucré les fait surtout utiliser comme dessert.

27. RHUBARBE : Selon la botanique, la rhubarbe est une plante cultivée pour ses pétioles ; étant donné qu'elle s'apprête comme un fruit, elle figure dans la liste des fruits-légumes. La principale utilisation de la rhubarbe est pour la cuisson.

28. CACAHUÈTE : Provient des graines grillées de l'arachide et possède une saveur de noisette ; considérée comme une friandise, elle est largement employée en pâtisserie. C'est pourquoi, bien qu'il s'agisse d'un légume, l'arachide est classée parmi les fruits et s'utilise comme les autres noix.

29. CHÂTAIGNE : Fruit véritable du châtaignier qui se rapproche plus du type sauvage davantage utilisé en industrie. Pour sa part, le marron est un hybride de table plus sucré, amélioré dans ses qualités gustatives et plus gros que la châtaigne.

30. NOIX DE GRENOBLE : Fruit du noyer ; ce nom lui vient de la région grenobloise réputée dans le monde entier pour la qualité de ses noix ; cette appellation s'est étendue à tous les fruits du noyer, quelle que soit leur provenance.

Les noix et les graines:

atout fibre à tout faire...
leur polyvalence en fait
de véritables perles culinaires

À l'instar des céréales et des légumineuses, les noix et les graines forment un autre groupe d'aliments susceptibles de combler vos besoins en fibres alimentaires. Mieux encore, elles sont un petit régal pour palais délicat et leur choix est grand. Les noix sont considérées comme des fruits séchés gras tandis que les graines constituent l'embryon et la réserve alimentaire des nouvelles plantes. En plus d'assurer une excellente source de protéines végétales (10 à 25%), elles renferment selon la variété choisie de 4 à 14 g de fibres par 100 g. C'est pourquoi, il convient de leur réserver une petite place privilégiée dans notre alimentation. Mais, attention aux calories cachées! Leur nature concentrée sous un faible volume exige de la prudence si l'on ne veut pas engraisser sournoisement. Une poignée de noix ou de graines fournit autant de calories qu'une grosse pomme. Par conséquent, il faut en user avec sagesse si vous avez un excédent de poids. Une poignée de noix ou de graines est une poignée de vie et cela suffit.

Les noix dans leur écale renferment toutes une seule graine ou fruit qu'on appelle une amande. Parvenue à maturité, l'amande est très riche en huile et en fibres, mais elle se dessèche avec l'âge. Si l'amande bouge dans l'écale quand vous la secouez, c'est que la noix est ratatinée et rassise; il faut alors la rejeter. Toutes les variétés se révèlent aussi délicieuses crues que cuites. On les vend sous des formes très diversifiées et pratiques: entières dans leur écale ou non (les moins chères); sans leur écale mais recouvertes de leur coque (pellicule brune rigide et ligneuse qui protège l'amande); en moitiés, en morceaux, effilées, hachées ou pulvérisées. En outre, on peut, selon les besoins, se les procurer nature, grillées, blanchies, fumées, épicées, salées ou non; il y en a pour toutes les circonstances et tous les goûts. Chacun se régale de sa variété favorite pour calmer rapidement une fringale, ou savoure un plat salé ou sucré de son choix car elles s'utilisent avec succès dans tous les genres de préparations culinaires.

La noix proprement dite est le fruit du noyer. Il en existe deux variétés plus connues: la noire à écale très résistante et à saveur très prononcée et la noix anglaise à amande blanche recouverte d'une coque dorée qui s'enlève aisément. Les fins gourmets recherchent la longue noix de pécan (pacanes) dont le goût délicat surclasse celui de la noix de Grenoble. Elle se présente en deux lobes cylindriques protégés par une mince écale allongée, lisse, lustrée, de couleur rougeâtre.

On reconnaît l'amande douce à son écale brun pâle, ovale et plate, aux extrémités pointues, qui s'ouvre facilement. Celle-ci dissimule une petite noix plate, allongée à chair blanche recouverte d'une pellicule brune adhérente. Sa saveur exquise et sucrée la rend particulièrement apte aux confiseries du type pâte d'amandes. L'essence d'amande, pour sa part, provient d'une variété d'amandes amères. On les recherche presque toujours dans les desserts de gala. Jadis, on lui attribuait certains mérites comme antiseptique intestinal. L'huile d'amande douce soigne bien la peau sèche ou fragile du bébé.

Utilisez-vous l'expression «gros comme une noisette de beurre»? Si oui, sachez qu'elle se réfère à la forme et à la grosseur de la noisette ou de l'aveline. Leur écale identique lisse, lustrée et de couleur gris roussâtre, ne diffère que par leur forme: l'aveline est plus courte et plus ronde que la noisette. Elles rappellent le bon goût du chocolat *hazelnut* et on emploie indifféremment l'une ou l'autre en cuisine, dans les pâtisseries et les bonbons à cause de leur goût sucré et riche. Originaire d'Australie, on reconnaît les macadémias comme une autre variété de noisettes. Leur chair blanche et croquante, peu sucrée, en fait l'accompagnement parfait des cocktails quand on les sert rôties et salées.

Tout comme la noisette, la noix du Brésil agrémente les pâtisseries et les bonbons. Cette grosse noix de forme triangulaire très huileuse rancit rapidement. Son goût s'apparente à celui de la noix de coco et de la noisette. Il faut la conserver au froid. On la reconnaît par son écale rugueuse brun foncé exceptionnellement dure à briser. Comment nommez-vous ces noix en forme de haricot, les seules à être vendues sans écale parce qu'elle est toxique? Elles sont si délicieuses qu'on en mange souvent jusqu'aux dernières miettes. Évidemment, vous les avez reconnues: les très populaires noix de cajou ou d'acajou. Mais gare aux calories! Elles contiennent beaucoup de gras, chaque 125 ml fournit aussi 400 calories. On les consomme surtout rôties et salées, mais on peut les broyer et les ajouter aux sauces. Elles accompagnent bien la viande rôtie.

La cacahuète, qui fait le régal des tout-petits et des écureuils, appartient selon la botanique à la grande famille des légumineuses. Il en existe deux variétés: l'arachide de Virginie: ovale, grosse, vendue dans son écale et l'arachide d'Espagne (*Barcelona nut*): petite, ronde, utilisée dans la fabrication de l'huile et du beurre d'arachide. Une fois pilée, sa consistance crémeuse la rend apte à enrichir une foule de mets allant du potage au dessert à un prix très avantageux. On obtient à la fois plus de goût, plus de fibres et à bien meilleur compte.

La délicate pistache, très recherchée en cuisine et en confiserie, décore de façon appétissante les pâtisseries de petites graines verdâtres et parfume par son essence la crème glacée et les desserts. Même si l'on associe la pistache à la couleur verte originale, on peut aussi acheter des pistaches blanches à coque ivoire qui éclate spontanément quand le fruit parvient à maturité. Ce qui explique qu'on les vende généralement écalées ou teintées de rouge avec un colorant végétal. Elles sont aussi délicieuses à consommer telles quelles en guise de collation. Comme pause-santé, on ne peut trouver mieux.

Avez-vous déjà goûté aux graines de la pomme de pin? Elles sont aussi petites qu'un noyau d'orange; leur forme est habituellement cylindrique ou ronde et leur couleur blanche ou ivoire. On les nomme indifféremment: pignes, pignons, pignolias ou pinocchios. En cuisine, on peut les substituer dans toutes les recettes aux arachides ou aux pistaches. Leur goût fin similaire à celui de l'amande vous surprendra et son prix aussi. Avec l'arachide et les amandes, elles comptent parmi les bonnes sources de fibres alimentaires. C'est définitivement un excellent choix à faire.

Qui n'a pas un jour cueilli ces petits glands qui tombent des châtaigniers à l'automne? Mais, beaucoup de personnes confondent marron et châtaigne. Cette dernière se reconnaît par sa capsule verte hérissée de piquants à la forme de figue fraîche. La cuisine chinoise en fait grand usage et on l'utilise davantage comme légume que comme fruit. Quant au marron, il provient d'une variété de châtaignier, le marronnier. Son écale ronde, lisse, d'un brun rougeâtre est très dure. Elle requiert quelques minutes d'ébullition pour être dégagée ensuite avec les doigts. La chair farineuse du marron développe son goût sucré, tant recherché, par la cuisson. C'est pourquoi on les mange chauds, glacés dans un sirop ou en purée dans les desserts ou les farces. Les châtaignes sont disponibles toute l'année en conserve ou séchées. Elles contiennent plus d'amidon, moins de gras et moins de calories que les autres variétés de noix mais tout autant de fibres. À vous d'en profiter.

On inclut souvent la noix de coco dans la famille des fruits gras parce qu'elle est riche en gras et en calories. Sa coquille dure et chevelue est un indice sûr de sa richesse en matière fibreuse: 100 g de noix de coco fraîche apporte près de 14 g de fibres comestibles; on double presque cette teneur, si on la consomme sous forme déshydratée. Une fois râpée, sa chair fibreuse devient crémeuse et parfumée. Elle convient tout autant aux salades de légumes qu'aux salades de fruits. En l'achetant fraîche et non sucrée, elle se conserve sans problème à la température ambiante pendant deux mois. Vous aurez moins de calories et plus de saveur que si vous l'achetez déjà râpée, séchée et sucrée. Un moyen facile et efficace d'ajouter subtilement plus de fibres dans votre alimentation consiste à aromatiser vos boissons et vos plats cuisinés de noix de coco fraîche râpée. Employez son lait comme ingrédient liquide pour aromatiser vos boissons. Elles deviendront agréablement rafraîchissantes.

Toutes les noix possèdent cette propriété inestimable d'enrichir votre ration quotidienne de fibres alimentaires, mais il faut les consommer avec parcimonie parce qu'elles sont concentrées. Une petite quantité n'excédant pas 90 g vous permet de les substituer avantageusement à la même quantité de viande dans vos menus et de les associer avec des légumineuses et des produits céréaliers pour obtenir des combinaisons parfaites : protéines-fibres.

Les graines

Il ne faudrait pas pour autant négliger les graines. On admet enfin qu'elles ne sont pas destinées qu'aux oiseaux. Elles se gagnent la faveur populaire et leurs usages en cuisine se diversifient de plus en plus. Tous les supermarchés les offrent maintenant en vrac ou en pratiques sachets, grillées, nature, salées ou non. Avec elles, on ne court pas le risque de trop en manger comme c'est hélas le cas avec les croustilles. Leur pouvoir «bourratif» est grand et une ou deux poignées de graines bien mastiquées suffit à tromper la faim ou le besoin de grignotage. Comme en général, on a la déplorable habitude de ne pas mastiquer beaucoup, on se fatigue plus vite de croquer des graines que des croustilles pleines de vent et de calories vides. On évite ainsi l'excès de calories que l'on reproche tant aux aliments «camelotes».

Parmi les plus riches en protéines et en fibres alimentaires, citons la graine de tournesol avec son péricarpe noir et blanc. Elle provient d'une fleur au coeur riche : l'hélianthe qui se tourne naturellement vers le soleil. C'est pourquoi, elle est une des rares sources végétales de vitamine D. Vous pouvez la cueillir vous-même et la faire sécher au four. Ses usages en cuisine se multiplient sans cesse : dans les salades, les biscuits ou les pâtisseries diverses ; moulue, elle peut même se substituer à une petite quantité de farine dans vos recettes préférées. Une autre variété, tout aussi riche en protéines mais aussi en matière grasse, est la graine de sésame. Vous la voyez souvent saupoudrée à la surface de certains pains ; blanche ou noire, plate et minuscule, elle a un goût agréablement sucré. En la pressant, on peut en extraire jusqu'à 50% de son poids en huile, d'où son emploi comme pâte crémeuse à tartiner vendue sous le nom de «tahini» ou beurre de sésame. Il remplace allègrement dans ses usages le beurre d'arachide et communique aux pâtisseries et aux bonbons un goût exquis et différent qui rappelle celui de l'amande. Consommez la graine de sésame de préférence non décortiquée pour profiter pleinement de sa valeur nutritive.

Ne vous limitez pas à ces seules variétés mais préparez dorénavant, à peu de frais, vos propres graines séchées, de citrouille, de courge ou de melon. Conservez-les au réfrigérateur ou au congélateur pour en avoir toujours sous la main. Substituez toutes les variétés entre elles dans vos recettes pour créer divers parfums qui surprendront par l'originalité des saveurs. Pour en accentuer le goût et les manger nature, le plus souvent possible, faites-les griller au four avec un peu de jus de citron ou d'orange ou si vous les préférez sucrées, avec un peu de sucre brun ou de mélasse. Elles deviennent des amuse-gueule ou des collations qui changent de la routine et vous incitent à consommer davantage de fibres sans effort, sans même vous en rendre compte.

Dorénavant, les noix et les graines, de même que les légumineuses et les produits céréaliers doivent faire partie intégrante de votre plan d'alimentation au même titre que la viande, le poisson, les légumes ou les fruits. Leur complémentarité est reconnue comme gage de succès, vous assurant toutes les formes de fibres alimentaires requises dans votre menu quotidien. Il devient facile de consommer une quantité suffisante de fibres naturelles quotidiennement, grâce à l'ajout de quelques noix et d'une bonne poignée de graines à votre céréale complète du matin ou à votre plat de légumineuses du soir; ajoutez du pain de blé entier et cela suffit amplement pour relever votre niveau de «bon résidu» fibreux à la norme recommandée pour maintenir son intestin en forme. Choisir des noix et des graines, c'est opter pour la semence de vie. À petites doses, elles fournissent un petit extra de fibres à ne pas négliger. C'est certain!

Le chocolat :
une gourmandise à forte teneur en fibres et en... calories

Cette exquise douceur, qu'est le chocolat, ne contient pas moins de 43% de fibres; stupéfiant n'est-ce pas? Mais, hélas! 100 g de chocolat renferme aussi environ 500 calories. C'est donc un filon de fibres dont il faut user avec grande modération.

Quand on connaît l'origine du chocolat, on s'explique mieux pourquoi il figure parmi les bonnes sources alimentaires de fibres. En effet, le cacaoyer est une plante qui produit un fruit volumineux appelé baie. La cabosse renferme de quinze à soixante-quinze graines noyées dans une pulpe claire et gluante. Ces graines soumises à la fermentation passent du blanc laiteux au brun rougeâtre. Après séchage, on les torréfie pour pouvoir séparer la coque de l'amande du grain. À ce moment, le fruit développe l'arôme et la saveur distinctives qu'on aime tant. Sous l'influence de la chaleur et du broyage, la fève ou l'amande se transforme en une pâte semi-fluide contenant 50% de beurre de cacao. On l'appelle liqueur de chocolat et elle constitue le point de départ de l'industrie chocolatière.

Pour obtenir le cacao en poudre, cette liqueur de chocolat est pressée pour en exprimer le plus de gras possible ; il en conserve néanmoins 18%. La pâte obtenue est ensuite retirée de la presse, concassée et pulvérisée en poudre fine. Le cacao tout comme le chocolat renferment aussi des sucres complexes et, associés au lait, ils peuvent servir d'aliments réparateurs et énergétiques pour les personnes fatiguées, dépressives ou encore pour les gens âgés ayant besoin d'un stimulant.

En effet, à l'instar du café et du thé, le chocolat contient un principe stimulant, la théobromine, et demande de ce fait d'être consommé avec modération surtout chez les enfants. Une bonne tasse de chocolat ou de cacao chaud fournit environ 2 g de fibres alimentaires seulement. Bravo à qui peut se le permettre !

Évidemment, le chocolat ne doit pas prendre la place d'aliments plus nutritifs ; considérez-le comme une petite douceur réconfortante à savourer à l'occasion.

La caroube :

mieux que du chocolat ?
une nouvelle merveille...

Vous raffolez du chocolat mais ne pouvez en manger autant que vous aimeriez ? Tournez-vous alors vers cette petite merveille au doux goût chocolaté, qu'est la caroube. Elle aussi provient d'un arbre à fruits, le caroubier. Sa gousse longue et aplatie renferme une pulpe comestible et des graines que l'on traite comme la fève du cacaoyer. L'industrie la prépare ensuite selon les mêmes formes que le chocolat. Elle se gagne la faveur populaire et remplace de plus en plus le chocolat en pâtisserie.

Ce qui la rend unique est l'absence de principe stimulant. De plus, elle ne contient que 2% de matières grasses comparativement au cacao qui, lui, en fournit 18%. En outre, elle apporte 46% de sucres naturels facilement digestibles et un peu de protéines. Complétée par le lait, la valeur nutritive est bonne. Voilà autant de raisons pour l'adopter dans vos recettes préférées.

On peut se la procurer sous les formes habituelles du chocolat, soit en tablette, en pépites ou en poudre. Elle se substitue en quantités égales au chocolat ou au cacao en cuisine.

Sa saveur douce et délicate est fort appréciée dans les pâtisseries et les bonbons entre autres. Pour créer des effets nouveaux, ajoutez un soupçon de cannelle, quelques gouttes d'amande ou de vanille. Son goût se marie bien à celui de l'orange et de la menthe. Bref, tout comme le chocolat, son emploi est presque illimité. Si pour vous, le goût du chocolat est essentiel, alors adoptez la caroube, elle en a toutes les qualités avec quelques petits défauts en moins. C'est le nouveau chocolat de la santé.

Les algues:

un peu d'exotisme
et un peu plus de fibres dans le menu

Le potentiel des légumes n'a pas de limites. Le renouveau du naturisme et les espoirs que plusieurs fondent sur la philosophie japonaise de la médecine méritent réflexion. C'est ainsi que de nouveaux aliments sains et nutritifs, tels que les algues, trouvent leur place dans le menu comme légumes «marins» accommodés de plusieurs façons.

C'est tout un défi que de savoir choisir les aliments adéquats contenant toutes les variétés de fibres comestibles. Recourir aux algues permet non seulement d'ajouter de l'inédit et de la créativité dans son alimentation, mais d'apporter un complément aux sortes de fibres contenues dans les autres légumes par exemple. Les algues ont une valeur nutritive reconnue. On les utilise dans tous les domaines: depuis les soins du visage et du corps jusqu'en cuisine. Elles renferment principalement des sucres complexes, des huiles essentielles ainsi que des vitamines et des sels minéraux importants. De plus, elles ont l'avantage de pousser dans des endroits hors d'atteinte des substances chimiques nocives.

En général, les algues fournissent des fibres tendres aux propriétés gélifiantes semblables à celles de la pectine; elles absorbent rapidement l'eau et la retiennent.

L'agar-agar, algue transparente et sans goût, s'emploie plus particulièrement pour remplacer la gélatine animale dans tous les mets en gelée, aspics ou confitures. Vendue, sous forme floconneuse ou granuleuse dans les magasins de spécialités alimentaires, il suffit de la réhydrater et de la faire bouillir jusqu'à ce que la solution soit clarifiée. Une période de trempage de vingt-quatre heures est parfois nécessaire pour permettre le gonflement optimal de certaines algues consommées dans des plats de légumes ou dans des potages. De plus, le trempage permet d'éliminer une partie du sel ainsi que les petits cailloux ou coquillages qui peuvent y rester accrochés. Il ne faut pas oublier de les rincer à l'eau plusieurs fois ou jusqu'à ce que l'eau soit claire avant de les faire tremper.

Les algues d'origine japonaise les plus courantes en cuisine sont, entre autres, les algues ISIKI (sous forme de fins lacets noirs), les KOM-

BU dont le «dashi» et le «nato» en sont des variétés; les ISIGUE, les NORI (se présentent sous forme de petites feuilles détachées de la partie sèche des algues), ou encore les WAKAME ou les DULSE. Cette dernière, très riche en iode et au goût salé, relève la saveur des potages et des plats de légumes. Le VARECH, autre algue comestible riche en minéraux essentiels dont le sodium et l'iode, sert avantageusement de substitut au sel de table commercial iodé.

Les algues fraîches laissées à l'air libre s'oxydent et fermentent rapidement. Dans la conservation alimentaire, on cherche à stopper toute altération. C'est pourquoi, on les conserve souvent dans la saumure. De tous les procédés de conservation, la lyophilisation est celui qui altère le moins l'équilibre nutritif de la plante. Les algues ainsi séchées se conservent plus longtemps et sont très pratiques.

Elles ne font plus uniquement partie de l'alimentation futuriste et certains restaurants asiatiques ou exotiques se targuent même de les servir apprêtées de diverses façons. Alors, pourquoi ne pas tenter vous aussi l'expérience en les faisant mijoter subtilement dans une soupe de légumes secs? Ou encore, les faire sauter dans l'huile de sésame et les laisser cuire ensuite à petit feu en les arrosant de sauce soya naturelle (tamari)? Vous obtiendrez ainsi un plat de légumes à la chinoise surprenant, économique et synonyme de régal.

Au Japon, on leur reconnaît un certain pouvoir magique: apparemment, elles permettraient de conserver ou de retrouver la jeunesse. C'est sans doute la raison pour laquelle, les tablettes des pharmacies regorgent de comprimés d'algues marines et que leur publicité souligne toute leur puissance pour vous faire revivre et pour améliorer votre santé. Laissez-vous tenter et achetez-les en petites quantités pour les ajouter aux céréales ou aux légumineuses. Délicieuses, pratiques, les algues sont un choix judicieux à faire pour qui veut s'assurer un supplément de fibres alimentaires en même temps qu'un regain de jeunesse.

Les produits laitiers:
une source inattendue
mais essentielle de résidu

Il peut paraître surprenant de mentionner les produits laitiers parmi les sources alimentaires de fibres. Effectivement, ils n'en contiennent pas. Cependant, bien qu'il apparaisse évident qu'un aliment fibreux laisse un résidu important dans l'intestin, il ne s'ensuit pas nécessairement qu'un aliment contenant en apparence peu ou pas de fibres donne peu ou pas de résidu. Au contraire, presque tous les aliments digérés laissent un résidu et certains plus que d'autres, abstraction faite de leur contenu en fibres. En fait, il n'y a pratiquement que les sucres simples qui soient complètement réabsorbés par l'organisme.

La quantité et la qualité du résidu provenant des produits laitiers est suffisamment appréciable pour contribuer à notre confort et à notre bien-être général. Le lait normal offre l'avantage d'augmenter le volume et la production des selles. En effet, les protéines du lait forment un caillot qui se retrouve intact dans l'intestin. La quantité de résidu qui reste après la désintégration des protéines est importante. Si l'on ajoute les résultats de la fermentation du lactose par les bactéries intestinales normalement présentes, on obtient un plus grand effet laxatif dû à l'acide lactique. Le mérite des produits laitiers va plus loin encore. Ils peuvent nous aider à maintenir et à rétablir une flore bactérienne saine. Cette action bienfaisante est proportionnelle à la quantité d'acide lactique contenue dans chacun d'eux.

De tous les produits laitiers riches en acide lactique, le yogourt se révèle le plus efficace pour agir au niveau intestinal. Grâce à ce précieux élément ainsi qu'aux bactéries particulières du yogourt, les protéines du lait sont transformées, prédigérées; ce qui a pour effet d'aider à diminuer les fermentations excessives ou anormales. En outre, le lactose du lait, source de fermentation supplémentaire et parfois de flatulence, est partiellement transformé en acide lactique dans le yogourt. En conséquence, l'acidité du milieu gêne la croissance des bactéries indésirables et assure le maintien d'une flore bactérienne normale. De cette façon, le yogourt accomplit un véritable travail de désinfection. Il convient donc pour traiter efficacement les troubles gastro-intestinaux notamment la diarrhée. Même la constipation chronique bénéficie de l'influence rapide de l'acide lactique sur la stimulation des contractions du péristaltisme de l'intestin.

Le yogourt rencontre de plus en plus la cote d'amour des consommateurs. Il est devenu un *best-seller* alimentaire. Si vous n'êtes pas encore un adepte des laits acidifiés, laissez-vous apprivoiser par la magie du yogourt. Il se vend sous tant de formes qu'il s'en trouvera une que vous aimerez.

Pour toutes ces raisons, la consommation quotidienne de produits laitiers, surtout acidifiés, est fortement recommandée pour régulariser les fonctions intestinales. Pourquoi se priver plus longtemps d'un remède populaire quand on sait qu'il peut aider à prévenir l'embouteillage intestinal et que sa valeur a été confirmée par la science moderne?

Dans le tableau suivant, on résume les différentes sortes de fibres ainsi que les sources alimentaires qui en contiennent des quantités significatives. Il importe de garder en mémoire qu'aucun aliment si fibreux soit-il ne les contient toutes, de même qu'il n'en renferme jamais qu'une seule variété. Chaque aliment représente un mélange de divers types de fibres où l'un d'entre eux peut dominer sur les autres.

TABLEAU 5

Résumé des sources alimentaires de fibres

Sortes de fibres	Sources alimentaires

POLYSACCHARIDES CELLULOSIQUES
 	
1. Cellulose
	SON: enveloppe extérieure de tous les grains (6%)
	
	PRODUITS CÉRÉALIERS DE GRAINS ENTIERS:
	  blé entier et tout grain céréalier entier
	    (maïs, orge, avoine, sarrasin, etc.)
	  toutes les céréales à grains entiers
	  les farines de son et de grains entiers
	
	LÉGUMES SECS:
	  haricots et doliques
	  fèves
	  pois secs
	  lentilles
	
	LÉGUMES FRAIS:
	  toutes variétés, mais plus spécifiquement:
	    les cosses et les graines
	    les racines et les tubercules
	    les fanes de légumes et les feuilles
	      d'épinards
	
	PLANTES SAUVAGES:
	  crosses de fougère
	  feuilles de pissenlit, d'ortie, d'oseille, etc.
	  les jeunes plants
	  les quenouilles
	  autres
	
	NOIX ET GRAINES:
	  toutes variétés
	
	FRUITS FRAIS ET SÉCHÉS:
	  surtout:
	    les fruits à graines comestibles
	    les fruits avec pelure comestible
	
	DIVERS:
	  chocolat, cacao, caroube, beurre d'arachide
	    croquant et naturel

TABLEAU 5 (suite)

Résumé des sources alimentaires de fibres

Sortes de fibres	Sources alimentaires

SON DE BLÉ : 33%

PRODUITS CÉRÉALIERS DE GRAINS ENTIERS :
    surtout le blé, l'avoine et l'orge
    sous-produits des grains entiers :
        céréales pour le déjeuner
        pain de grains entiers
        produits de boulangerie (ex. : muffins,
            biscuits, etc.)

POLYSACCHARIDES NON CELLULOSIQUES

LÉGUMINEUSES DIVERSES

2. Hémicellulose

NOIX ET ARACHIDES

LÉGUMES FRAIS :

(quantité variable selon la variété et la maturité) plus spécifiquement :
    les cosses et les graines (ex. : pois,
        maïs)
    les légumes feuillus (ex. : épinards, chou)
    les tiges dures (ex. : asperge, brocoli)
    autres : carottes, céleri, etc.

TABLEAU 5 (suite)

Résumé des sources alimentaires de fibres

Sortes de fibres	*Sources alimentaires*
	GRAIN CÉRÉALIER :
	endosperme du grain de riz seulement
3. Substances **pectiques**	GRAINES VÉGÉTALES SANS ENDOSPERME :
PROTOPECTINE	haricots et doliques secs pois secs
ACIDES PECTINIQUES	
ACIDES PECTIQUES	LÉGUMES FRAIS :
	toutes variétés, plus spécifiquement : les racines et les tubercules (ex. : carotte, patate douce, pois, pomme de terre)
PECTINE	les légumes-fruits (ex. : courges, tomates, concombres) les fèves
	FRUITS :

	toutes variétés, surtout :
	les *fruits séchés* (ex. : figues, abricots,
	  raisins.)
	les *agrumes* (ex. : citron, orange, pample-
	  mousse avec leur pulpe blanche)
	autres (ex. : baies, mûres, pommes, cerises,
	  coings, bananes, abricots, framboises)

TABLEAU 5 (suite)

Résumé des sources alimentaires de fibres

Sortes de fibres	*Sources alimentaires*
4. Gommes (exsudat collant sécrété par les cellules des plantes)	SON d'avoine spécifiquement GOMMES D'USAGE INDUSTRIEL: comme additif alimentaire ou usage pharmaceutique: arabique, xanthane, adragante, karaya, tragacanthe, chicle, bagasse (fibre gommeuse et sucrée qui reste après l'extraction du jus de la canne à sucre), etc. GOMMES DE GUAR ET DE CAROUBE
5. Mucilages (substances sécrétées dans l'endosperme des graines végétales)	Pour usage industriel comme agent hydrophile et stabilisant: PLANTES SAUVAGES: ex.: lichens, bourrache FRUIT ÂPRE ET ASTRINGENT: ex.: coing (sirop utilisé en médecine) GRAINES CONTENANT UN ENDOSPERME: gomme de guar (fève cluster) graines de lin (laxatif universellement reconnu) PLANTES MÉDICINALES: ex.: isphagula (enveloppe de la graine de plantain) ou *plantago decumbens* (très utilisée dans le traitement de la constipation) psyllium (*plantago psyllium*, laxatif courant)

TABLEAU 5 (suite)

Résumé des sources alimentaires de fibres

Sortes de fibres	*Source alimentaire*
6. Algues ou légumes marins	ALGUES COMESTIBLES: dulse, isigué, isiki, nori, kombu, varech, wakamé, etc. ALGUES D'USAGE INDUSTRIEL: comme agent de texture et épaississant: agar-agar, alginates, carraghénine, etc.
7. Lignine SUBSTANCE NON GLUCIDIQUE	SON (4%): couches extérieures de tous les grains PRODUITS CÉRÉALIERS DE GRAINS ENTIERS: grains entiers des céréales avec le son noix avec leur coque: en quantité appréciable LÉGUMES FRAIS: avec leur cosse, leur pelure ou les tiges dures en petite quantité FRUITS: avec pelure ou peau cireuse et fruits séchés; tous les autres, en petite quantité DIVERS: chocolat, cacao, caroube

CHAPITRE IV

Les fibres et l'eau :
un duo inséparable

Pourquoi s'intéresser à l'eau alors qu'il est question de fibres alimentaires ? Tout d'abord, parce que nous sommes «pleins d'eau» et qu'ensuite, nous ne saurions vivre sans elle. En effet, notre corps est un immense réservoir d'eau qui représente de 50 à 60% de notre poids total. Cette masse d'eau répartie à travers tout notre organisme se trouve principalement dans les cellules (25 à 35%), à l'extérieur des cellules et dans le sang (23%) et entre les tissus (1%). Il semble donc approprié de se pencher sur l'importance de cette «fontaine de Jouvence» dans le maintien de notre santé car, après l'oxygène, l'eau est la substance qui assure notre survie.

À quoi sert donc ce mystérieux fluide que nous transportons sans nous en rendre compte ? Pourquoi faut-il en prendre chaque jour, fidèlement ? Tout simplement parce que nous ne sommes pas comme les chameaux. Nous ne possédons pas de mécanisme nous permettant de faire des réserves et surtout nous n'avons pas d'eau à perdre. Une perte de 20% entraînerait la mort. Il ne faut donc pas traiter à la légère les besoins en eau : la quantité perdue à toutes les vingt-quatre heures doit être remplacée afin de maintenir le fonctionnement normal de notre organisme.

L'eau est essentielle à la croissance et à la réparation du corps humain. Elle intervient dans tout le processus de digestion, de circulation et d'excrétion. L'eau est à la fois le solvant qui dissout les minéraux et les vitamines et le véhicule qui les distribue partout où nous en avons besoin. C'est aussi le milieu dans lequel s'effectue toutes les réactions chimiques indispensables à la vie et, évidemment la porte de sortie des déchets organiques.

Un adulte en santé perd de l'eau de quatre façons dans des proportions déterminées : respiration (400 ml), transpiration (600 ml) et élimination : par les selles (150 ml) ou par les urines (700 ml). Quand il fait chaud ou durant une période d'exercices physiques, il est évident que nous perdons encore plus d'eau et que par conséquent nos besoins liquidiens augmentent. La perte totale peut aller de 2 à 2,5 l d'eau par jour.

Heureusement pour nous, notre organisme est pourvu de merveilleux systèmes de contrôle qui règlent le débit d'eau. Les hormones antidiurétiques en font partie, elles modifient les entrées ou les sorties d'eau en fonction de nos besoins. Par exemple, dès que la concentration d'eau baisse dans le sang, elles entrent en action et bloquent toute sortie d'eau jusqu'à ce que la concentration des éléments minéraux redevienne normale. Ainsi, l'équilibre aqueux est temporairement assuré. Néanmoins, comme il faut absolument éliminer nos déchets sous peine d'intoxication, nous devons boire ou absorber du liquide. Il est dangereux de se priver volontairement d'eau ou encore de prendre des diurétiques sans ordonnance.

On ne boit jamais trop d'eau. Soyons reconnaissant pour cette sensation de soif qui nous signale que nous avons besoin de liquide. La quantité à prendre est en fonction de notre poids corporel. On recommande généralement d'ingérer 32 ml d'eau pour 1 kg de poids. Ce qui donne chez un adulte de 70 kg environ 2,4 l et pour un adulte de 55 kg, 1,8 l d'eau par vingt-quatre heures. Cependant une partie des besoins hydriques seront comblés par l'eau provenant des aliments ainsi que l'eau du métabolisme de digestion.

À peu près tout ce que l'on mange contient de l'eau. Sans doute, serez-vous intéressés d'apprendre que la viande peut en contenir de 50 à 75% selon la variété; les fruits et les légumes approximativement 85 à 90%, le lait 87%, le pain 35% et les céréales cuites environ 85%. Même les fruits séchés, figues et raisins, en contiennent 20%. Bref, les aliments renferment de 4 à 98% d'eau et fournissent à notre organisme environ 600 ml d'eau corporelle.

Saviez-vous que la digestion des aliments constitue une autre source d'eau? Eh oui! le produit final de la digestion des protéines donne 41 ml d'eau, celle des sucres, 55 ml et celle des matières grasses, 107 ml, ce qui totalise environ 200 ml de liquide. Il nous faut, en plus de ces apports, boire au moins 1,5 l d'eau ou d'autres liquides pour contrebalancer les pertes hydriques normales.

Il est juste de dire que l'eau est source de vie. Le tableau suivant résume nos besoins en liquides quotidiens ainsi que les pertes d'eau physiologiques inévitables.

BESOINS EN EAU

A. Apports en eau par jour

1. Eau provenant des boissons	1 300 ml	à	1 500 ml
2. Eau provenant des aliments solides	500 ml	à	700 ml
3. Eau provenant de la digestion	200 ml	à	300 ml
	2 000 ml	à	2 500 ml

B. Pertes d'eau par jour

1. Respiration	400 ml		400 ml
2. Transpiration (normale)	600 ml		600 ml
3. Selles	100 ml	à	150 ml
4. Urines	1 200 ml	à	1 350 ml
	2 000 ml	à	2 500 ml

On constate que les apports et les pertes d'eau doivent être à peu près égaux pour pouvoir répondre à nos besoins. Les recommandations sont donc sages et justifiées: les boissons nous fournissent la moitié de la quantité totale soit 1,5 *l*; les aliments solides et l'eau de digestion comblent le reste de nos besoins. Lorsque l'apport en eau est supérieur aux besoins organiques, il est automatiquement éliminé.

Pourquoi associer l'eau et les fibres alimentaires? On sait que certaines formes de fibres, l'hémicellulose et les pectines surtout, peuvent absorber beaucoup d'eau. Elles gonflent et augmentent de volume, favorisant la formation de selles molles aisément éliminées. Ensemble, l'eau et les fibres forment un duo exceptionnel: leur action combinée combat plus efficacement la constipation que toute autre méthode. C'est le moyen le plus naturel de fournir à l'organisme les substances et l'humidité nécessaires à une bonne élimination. Confiez-leur donc ce travail de purification et libérez-vous à jamais des laxatifs.

Une plus grande consommation d'eau apporte de nombreux autres bénéfices: un pichet d'eau sur la table ou le bureau de travail incite à diminuer votre consommation de café, de boissons gazeuses ou de tabac. L'eau vous aide à modérer vos collations et à diminuer votre appétit si vous en prenez un ou deux grands verres juste avant les repas. Elle peut même tempérer vos maux de tête et améliorer votre digestion. Ce ne sont que quelques exemples des avantages d'inclure l'eau dans son régime quotidien et de lui réserver une grande place.

Chacun le sait, l'eau se prend de multiples façons: elle se cache dans le jus, le lait, la soupe, le thé ou les tisanes, le café, le chocolat et même dans la bière ou l'alcool. Mais, quelle que soit son apparence, c'est de l'eau du robinet que nous buvons généralement. Le robinet est une oasis dans votre cuisine; alors, pourquoi ne pas en profiter plus souvent? Vous éviterez ainsi les calories qu'apportent inévitablement la plupart des boissons ou encore vous préserverez votre organisme contre les effets nocifs qu'entraîne l'abus de café ou d'alcool. Savez-vous qu'il faut 200 ml d'eau pour éliminer 25 ml d'alcool? Cela mérite réflexion n'est-ce pas?

Que penser de ces bonnes tisanes qui se gagnent la faveur populaire depuis que la guerre à la caféine est déclarée? Sont-elles vraiment un heureux substitut du café ou du thé? Exagère-t-on leurs mérites thérapeutiques? Toutes les variétés de tisanes ne sont apparemment pas si inoffensives. Certaines d'entre elles pourraient agir sur le système nerveux comme une drogue et une consommation abusive amener une intoxication. D'autres sont irritantes au niveau intestinal. La zizanie règne sur ce sujet et, dans ce domaine comme dans beaucoup d'autres, il faut être vigilant et faire un usage modéré de ces délicieuses plantes. Si une infusion de tisane bien chaude vous réconforte et vous laisse une agréable sensation de bien-être, buvez-la en toute quiétude: l'important est de ne pas en abuser. Vous pouvez aussi consulter un professionnel de la santé qui pourra vous guider dans les choix à faire. Cependant, au risque de vous décevoir, les propriétés curatives prêtées à vos tisanes préférées ne sont pas reconnues scientifiquement.

D'un autre côté, personne ne discute les bienfaits de l'eau naturelle ni ne trouve des inconvénients à en boire. L'eau demeure irremplaçable. Tout au plus, en conteste-t-on le goût. La tendance actuelle révèle un engouement croissant pour l'eau embouteillée. Est-ce par snobisme ou par goût? Pense-t-on obtenir plus de qualité? Quoi qu'il en soit, l'eau du robinet demeure une bonne eau à boire. Elle est un produit manufacturé par l'usine de filtration (payée par vos taxes), elle est saine. Si par contre vous lui préférez l'eau embouteillée pour des raisons de goût, sachez qu'il en existe de très élevées en sels minéraux. On les appelle d'ailleurs, eaux minérales.

Comme elles proviennent de sources différentes, leur composition diffère et contrairement à l'eau du robinet, les eaux embouteillées n'ont habituellement pas subi d'autres traitements que celui de l'addition de gaz carbonique pour améliorer leur propriété digestive. À part leur goût, leur qualité n'est sûrement pas supérieure à l'eau ordinaire, mais leur prix est fort élevé, par contre. De plus, il serait sage de lire sur l'étiquette la teneur en sels minéraux exprimée en p.p.m. (partie par million). Le sodium, notamment, varie de 4 p.p.m. à 1 676 p.p.m. Toutes les eaux très minéralisées sont à surveiller et à limiter surtout si votre état de santé nécessite une restriction en minéraux: sel par exemple. Seules les personnes en bonne santé peuvent s'en verser un verre occasionnellement. Il est préférable de choisir parmi les moins riches en minéraux si on veut en boire tous les jours. Laquelle achetez-vous en ce moment? Quel prix payez-vous? C'est un pensez-y-bien!

Voici quelques trucs simples et économiques pour boire davantage d'eau et manger plus sainement. Ils feront miracle avec les fibres puisque c'est dans l'équilibre de ces deux substances inséparables que vous ressentirez le mieux-être auquel vous aspirez.

1. Commencez la journée en prenant un grand verre d'eau à jeun, pour vous réveiller et réveiller votre intestin.

2. Buvez au moins six à huit verres d'eau par jour, avant, après ou entre les repas; évitez de boire pendant le repas pour ne pas nuire à la digestion.

3. Apportez une bouteille thermos remplie de votre eau préférée à votre travail.

4. Prenez quelques gorgées d'eau chaque fois que vous passez près d'un robinet ou d'une fontaine.

5. Choisissez un jus ou un potage au début de chaque repas.

6. Broyez vos restes de légumes et de jus de cuisson au mélangeur et buvez-les en guise d'apéritif.

7. Environ trente minutes après une séance d'exercices physiques, quand votre corps a repris sa température normale, buvez un grand verre d'eau.

8. Diminuez la consommation de café, de thé, de tisane et de boissons gazeuses.

9. Pensez à boire beaucoup d'eau les lendemains de la veille.

10. Combattez efficacement la constipation en choisissant:
    — de manger des aliments riches en fibres;
    — de prendre le temps de bien mastiquer pour activer la salive et favoriser le passage et la digestion des aliments;
    — des heures régulières d'élimination;
    — de prendre vos trois repas régulièrement et préférablement aux mêmes heures;
    — de faire de l'exercice et de prendre l'air pour vous défaire de la «paresse intestinale»; tout comme vous, votre intestin a besoin de stimulation;
    — de ne plus faire usage de produits laxatifs vendus dans le commerce: VOUS N'EN AVEZ PLUS BESOIN.

Voilà tout un programme! C'est celui d'un intestin «gaillard» et des gens radieux qui se sentent bien dans leur peau. Ça fonctionnera aussi pour vous, à condition que votre motivation soit à la hauteur.

CHAPITRE V

Les fibres alimentaires : combien en consommer ?

L'heure du changement vient-elle de sonner pour vous ? Avez-vous décidé de mettre votre intestin à l'exercice ? Vous demandez-vous maintenant jusqu'où aller et combien de fibres alimentaires ajouter à votre menu au début ? La quantité qu'il vous faut dépend d'abord et avant tout de votre état de santé et de la façon dont vous vous nourrissez présentement. Votre bilan nutritionnel décidera de vos besoins en fibres et surtout de la quantité à vous permettre.

Néanmoins, avant d'entreprendre toute modification majeure de vos habitudes alimentaires, nous vous conseillons d'en discuter avec votre médecin ou avec un professionnel de la santé bien informé. Cette première démarche est primordiale pour toute personne suivant déjà un traitement thérapeutique quel qu'il soit. En second lieu, une analyse de votre mode d'alimentation s'impose pour pouvoir déterminer votre profil de consommation en éléments nutritifs et en fibres alimentaires. C'est logique : comment savoir si vous vous alimentez bien et pouvez suivre sans risque un menu hyperrésiduel sans faire d'abord le relevé de ce que vous mangez réellement ? Aussi, même si vous jouissez d'une excellente santé et croyez que vos repas sont bien balancés, nous vous invitons à passer le test d'auto-évaluation de votre alimentation (voir deuxième partie, chapitre III). Il vous éclairera sur vos besoins et vous révélera si oui ou non vous consommez les éléments nutritifs nécessaires à votre organisme, y compris la proportion de fibres alimentaires que vous ingérez en ce moment.

Existe-t-il une dose idéale ? Personne, à ce jour, ne saurait déterminer ou avancer une quantité précise applicable à tous les individus. La raison en est simple : le seuil de tolérance aux fibres alimentaires est très variable, chaque personne réagissant de manière bien différente au stimulus qu'exerce un surplus de fibres dans l'intestin. En outre, comme le contenu fibreux des aliments dépend beaucoup de leur qualité et de leur provenance, l'évaluation de leur teneur exacte en cet élément demeure difficile, voire impossible. C'est pourquoi, il faut se contenter de mesures estimatives situant les recommandations à au moins 30 g par jour.

En général, la consommation quotidienne moyenne se situe autour de 10 à 20 g pour un adulte suivant un régime raffiné. Les végétariens, les chanceux, consomment au moins le double de cette quantité et rencontrent la moyenne des valeurs conseillées. De même, vous pouvez vous offrir le privilège d'ajouter de 10 à 20 g de fibres à votre menu quotidien si ce dernier est bien équilibré dans tous les autres nutriments. Il est essentiel de démarrer avec environ 30 g de fibres par jour pour pouvoir bénéficier des multiples avantages que procure une alimentation hyperrésiduelle. Un fait est certain, notre organisme a un besoin constant et quotidien de fibres alimentaires; cela, nul ne le conteste, spécialement lorsqu'il s'agit de médecine préventive. Sur le plan curatif, par contre, l'entente reste à faire quant à la posologie appropriée au traitement de chaque condition.

Comment augmenter sans danger sa consommation de fibres? Pourquoi cette prudence dans les recommandations? Il convient de progresser lentement dans l'addition d'aliments riches en fibres pour donner le temps à notre système digestif de s'y habituer. Tout comme vous, sans doute, votre intestin craint le changement. Il peut répliquer désagréablement si vous allez trop vite. Il réagira mal à une surcharge de résidu, surtout s'il s'agit de son, et vous souffrirez de crampes abdominales, de ballonnements accompagnés de gaz et possiblement de diarrhée. Certes, même avec une dose quotidienne initiale de 30 g de fibres, il se peut que vous ressentiez quelque inconfort tel un peu de flatulence ou de borborygmes ou une impression de ballonnement. Rassurez-vous, tout est normal, car il faut en moyenne de vingt-quatre à quarante-huit heures pour que la flore bactérienne du côlon s'adapte à la présence des nouveaux visiteurs. Persévérez au moins de une à quatre semaines et vous serez largement récompensés. Afin de diminuer les effets déplaisants, il est préférable de concentrer la consommation de fibres en dedans de six heures et de prendre ses repas avec régularité. La tolérance s'améliore à mesure que l'on ingère plus de fibres.

Soyez à l'écoute de votre intestin: la réponse viendra sous forme de selles volumineuses, de bonne consistance et qui passent sans effort. N'est-ce pas l'objectif visé? Un regain de santé et de vigueur, grâce à une meilleure élimination de ses déchets. Après la période d'ajustement nécessaire, vous pourrez passer au palier suivant en augmentant d'environ 10 g à la fois, selon votre tolérance, jusqu'à l'obtention des résultats souhaités. Le but n'est pas d'atteindre un niveau précis de fibres mais plutôt d'en augmenter graduellement la consommation. Une chose est sûre : dès que vous aurez pris l'habitude de bien vous alimenter, vous vous demanderez comment vous avez pu vivre autrement.

Pendant combien de temps peut-on poursuivre un régime élevé en fibres ? Tant et aussi longtemps que l'on respecte les recommandations préconisées et que l'on vérifie périodiquement l'équilibre nutritif de son alimentation. En l'absence de tout trouble organique, un adulte peut profiter sans conséquences néfastes pour sa santé, bien au contraire, des bienfaits que procure une nourriture diversifiée et abondante en fibres.

À long terme, cependant, une surveillance étroite du choix des aliments s'impose. En effet, si vous comptez sur une seule source alimentaire pour ajouter un supplément de fibres, vous risquez une déficience en sels minéraux et en vitamines. Ceci est la seule mise en garde : choisissez des aliments de tous les groupes, lesquels vous garantissent toutes les catégories de fibres ainsi que les minéraux ou les vitamines en quantité suffisante. Alors seulement, vous serez à l'abri de toute carence.

Selon certaines études, le son et les produits céréaliers ingérés trop librement au détriment des autres sources alimentaires seraient les plus susceptibles de nuire à l'absorption de quelques substances dont les graisses, l'azote et tout particulièrement le fer, le calcium et le magnésium. Par contre, les fruits et les légumes riches en pectine ou en gommes n'affecteraient pas autant l'absorption de ces éléments nutritifs. En d'autres termes, la cellulose et la lignine seraient davantage incriminées que ne le seraient la pectine ou les gommes.

Comment expliquer ce phénomène ? La plupart des données cliniques sur ce sujet démontrent une plus grande excrétion de calcium dans les selles accompagnée d'une perte pour l'organisme lorsque l'ingestion de cellulose est excessive. Celle-ci se lierait au calcium ou aux autres minéraux et les entraînerait avec elle lors de l'élimination. D'autres constituants de certains grains de céréales, de légumes et de noix notamment, les acides phytique ou oxalique, posséderaient aussi la propriété de s'accrocher aux minéraux, surtout le fer, limitant leur utilisation par l'organisme. Ils formeraient des sels insolubles dans l'intestin prévenant ainsi leur absorption complète.

Il importe donc de choisir avec circonspection des variétés d'aliments apportant toutes les sortes de fibres alimentaires, pour pallier cet effet négatif. Toute personne désireuse d'enrichir son alimentation en fibres de façon permanente, ce qui est à encourager, sera bien inspirée de puiser dans le large éventail de fruits et de légumes à sa disposition. De même, la variété dans les produits céréaliers et les noix ou les graines aidera à prévenir les fâcheuses conséquences découlant de la consommation exclusive d'une seule forme de fibres.

Aujourd'hui, de plus en plus de gens adoptent de nouvelles habitudes alimentaires plus saines et plus nutritives. Ils se tournent vers des aliments naturels, moins manufacturés ou libres de tout additif et sont sensibilisés à la valeur «santé» des produits qu'ils achètent. Les avantages qu'ils en retirent sont évidents comme le proclament les adeptes du végétarisme. L'intérêt grandissant du public pour les fibres alimentaires justifie qu'on lui propose un modèle d'alimentation qui soit sûr, appétissant et garant d'une santé florissante.

Cependant, à l'encontre du régime végétarien, il n'est pas question d'exclure la viande ou le poisson sous prétexte qu'ils sont d'origine animale. Le menu hyperrésiduel équilibré doit aussi comprendre des protéines complètes et requiert les vitamines et les minéraux fournis par ce groupe d'aliments. Évidemment, les oeufs, le lait ou les produits laitiers considérés comme des substituts peuvent remplacer la viande ou le poisson si désiré. Une autre possibilité consiste à combiner les légumineuses avec des produits céréaliers ou des noix et des graines afin d'obtenir des protéines de qualité comparable à celles du groupe des viandes. À vous de choisir ce qui vous convient.

Ce guide très flexible permet beaucoup de souplesse dans l'élaboration de vos menus puisqu'il comprend tous les groupes d'aliments. L'accent est mis sur la variété et la qualité des choix: des viandes maigres, des produits laitiers réduits en gras, des fruits et des légumes frais et séchés, des oeufs et des matières grasses avec modération, des noix ou des graines fraîches en petite quantité sans compter des produits céréaliers complets de toutes formes. Bref, manger des fibres n'est pas «plate», ce peut être intéressant et aussi varié que vous le voulez bien. Est-il encore besoin de prendre du son tous les jours? Non, bien sûr, mais si vous êtes de ceux qui se fient uniquement sur le son pour leur apporter les fibres nécessaires, sachez qu'il n'est que l'enveloppe extérieure du grain de céréale. Il ne représente que 25% du grain complet, le reste étant constitué de 72% d'endosperme ou amande et de 3% de germe ou embryon. En dépit de ses 44% de fibres, il est incapable de vous fournir toutes les variétés de fibres. En effet, il n'en contient que trois, soit l'hémicellulose (32,7%), la cellulose (6%) et la lignine (4%).

De plus, sa composition le rend irritant pour l'intestin vous causant des malaises allant des crampes abdominales à la diarrhée si vous en exagérez la consommation. On recommande donc de débuter avec 5 ml par jour jusqu'à concurrence de 30 ml si vous le tolérez bien. Cette dose prudente vous assure un «extra» variant entre 2 et 12 g de fibres. Il ne faut pas oublier que les muffins ou le pain de blé entier de même que les céréales à grains entiers sont aussi des véhicules de son et de fibres alimentaires.

Si vous prenez le temps d'additionner les fibres que vous mangez, vous serez peut-être surpris de la quantité ingérée : ça monte vite quand on y prête attention. À chaque repas et pour chaque jour, les fibres feront graduellement partie de vos nouvelles habitudes et cela sans renoncer à ce que vous aimez. L'enjeu en vaut la peine. Pourquoi ne pas commencer tout de suite ?

La diététique nutri-fibres :

«pour un bien-être permanent»

L'alimentation hyperrésiduelle comprend tous les aliments courants. Aucun n'est interdit mais une place privilégiée doit être accordée à ceux dont la teneur en fibres est élevée. Ils méritent de faire partie intégrante de votre menu quotidien. Les changements physiques et psychologiques qui surviendront après la période d'adaptation vous feront les adopter. Bien sûr, il convient d'être patient avec soi-même et d'y aller selon son rythme. Progressivement, vous limiterez la consommation d'aliments qui apportent peu de fibres au profit des autres.

Le tableau 6 vous guidera dans vos choix. On y indique les aliments dont il faut encourager la consommation ainsi que ceux dont il est préférable de limiter la quantité en précisant la raison d'une telle restriction. *Les petits privilégiés* sont *à recommander* et constituent les meilleurs choix ; *les grands défavorisés*, par contre, sont *à surveiller* pour leurs effets parfois négatifs sur le système digestif ou encore parce que leur contribution à l'apport fibreux est faible. Les aliments fermentescibles causent de la flatulence. Les légumineuses, certains légumes et fruits sont reconnus comme susceptibles de former des gaz au cours de la digestion. La tolérance varie selon l'individu. Les états d'anxiété et de stress de même que le manque d'exercice augmentent les malaises causés par la flatulence. Cependant, chez une personne en santé, ce léger désagrément est facilement corrigé par l'accoutumance graduelle à ces aliments. De même, quelques-uns d'entre eux peuvent avoir un effet constipant si ingérés en trop grande quantité. Ceci étant dû à leur teneur en pectine. Enfin, dans le but de prévenir tout excès de sel, de gras et de sucre, une mention de restriction est faite à leur sujet. Si vous avez une condition de santé particulière ou si vous surveillez de près votre poids, nous vous recommandons d'en tenir compte.

Nous tenons à rappeler que la qualité et la quantité de fibres alimentaires dans tous les produits végétaux varient selon la saison, l'endroit de culture, le degré de maturité, la préparation pour la cuisson, le temps et le mode de cuisson. Pour obtenir le maximum de fibres tous ces éléments doivent être pris en considération.

TABLEAU 6
Guide nutri-fibres

ALIMENTS	LES PETITS PRIVILÉGIÉS	LES GRANDS DÉFAVORISÉS	
	Eau: 6 à 8 verres par jour *Eaux minérales*: à faible teneur en sodium	*Eaux minérales*: à forte teneur en sodium	Déséquilibrent les minéraux dans l'organisme
	LAIT: surtout lait de beurre*	Lait au chocolat	Stimulant (contient de la théobromine)

	JUS DE FRUITS:
	  nectar de pruneaux, d'abricots, ou de poires
		AUTRES JUS DE FRUITS:
		  jus de tomate ou de légumes
			PEU DE FIBRES

1. BOISSONS	*Café décaféiné*	Café	Stimulant (contient de la caféine)
1.5 *l* par jour		Thé	Peut être constipant (contient des tanins)
		Tisanes	Certaines agissent comme des drogues
	Boissons gazeuses sans caféine et sans sucre	Boissons gazeuses régulières	PAS DE FIBRES, trop de sucre
		Boissons alcoolisées	Stimulantes, forte teneur en calories, causent une perte d'eau dans l'organisme

* Riche en acide lactique

TABLEAU 6 (suite)
Guide nutri-fibres

ALIMENTS	LES PETITS PRIVILÉGIÉS	LES GRANDS DÉFAVORISÉS	

2.
POTAGES
	Potage de légumineuses *
	Chaudrée ou crème de
	   légumes
	Soupe aux légumes
	Soupe aux céréales :
	   riz, orge, millet, etc.
	Soupe avec pâtes alimen-
	   taires de blé entier ou
	   enrichies en fibres
		Bouillon ou consommé
		
		Soupe en conserve
		Soupe en sachet
		   déshydratée
		Soupes avec pâtes ali-
		   mentaires régulières
			PAS DE FIBRES
			
			PEU DE FIBRES

3. **LÉGUMES** 3 portions de 125 ml par jour	Toutes les variétés de légumes secs** : à consommer selon tolérance		Fermentescibles, peuvent causer de la flatulence

	Légumes, frais, crus ou cuits
	   sans eau :
	   légumes avec cosses et
	   graines
		Maïs, pois, etc.	Fermentescibles
			peuvent causer
			de la flatulence

	Légumes-racines * et tubercules	Navet, rutabaga, radis, etc.	
	Légumes-tiges et fleurs ou bulbes	Brocoli, poireau oignon, ail, échalote, etc.	
	Toutes les verdures, feuilles et plantes sau- vages, les algues	Tous les choux, les feuilles dans la saumure	Fermentescibles Renferment beau- coup de sodium
	Légumes - fruits	Concombre, poivron	Fermentescibles
	Les germes de légumes et de plantes		

* Aliments à plus haute teneur en fibres.
** Fermentescibles.
Note : Les carottes cuites en grande quantité : effet constipant.

TABLEAU 6 (suite)
Guide nutri-fibres

ALIMENTS	LES PETITS PRIVILÉGIÉS	LES GRANDS DÉFAVORISÉS	
	Fruits séchés: toutes variétés	Selon tolérance	Fermentescibles et flatulents
4. **FRUITS** 3 portions par jour	*Fruits frais, crus, avec pelure* de préférence:	Fruits en conserve avec sirop	PEU DE FIBRES, plus de calories
	drupes à noyau fruits à graines baies agrumes (zeste) autres	Avocats, prunes, cantaloups, melons, ananas	Fermentescibles
5. **NOIX ET GRAINES** 80 ml à 250 ml par jour, selon la variété	NOIX DIVERSES: surtout amandes noix du Brésil arachides non salées noisettes noix espagnoles châtaignes et marrons noix de coco séchée	Arachides salées ou Toutes noix salées	Source importante de calories à consommer avec modération. *Noix salées:* forte teneur en sodium
	GRAINES DIVERSES: toutes variétés, fraîches, non salées de préférence	Graines de sésame	Riches en calories, contiennent plus de gras que les autres variétés
	Pommes cuites et bananes *		

* Peuvent avoir un effet constipant, consommées en grande quantité.

TABLEAU 6 (suite)
Guide nutri-fibres

ALIMENTS	LES PETITS PRIVILÉGIÉS	LES GRANDS DÉFAVORISÉS	
6. **PRODUITS** **CÉRÉALIERS** 5 portions par jour	Son entier * (100%) *Céréales complètes* (à grains entiers) *Germe de blé ou de maïs* *Pains complets*: toutes variétés (100%) *Pain blanc enrichi en fibres* Muffins, crêpes, biscuits préparés *avec une farine complète* (à grains entiers)	Toutes les céréales, *raffinées, sucrées* Tapioca Pain brun régulier Pain blanc régulier Muffins, crêpes, biscuits préparés avec la farine blanche	PEU DE FIBRES, trop de sucre PAS DE FIBRES MOINS DE FIBRES PEU DE FIBRES PEU DE FIBRES
	Craquelins de blé entier, de seigle ou enrichis en fibres	Craquelins ordinaires, soda	PEU DE FIBRES
	Pâtes alimentaires de blé entier ou enrichies en fibres	Pâtes alimentaires régulières	PEU DE FIBRES
7. **SOURCES** **PROTÉIQUES** (d'origine animale) 2 portions par jour (60 à 90 g)	Viandes, volailles, *maigres*, rôties au four, grillées *Abats*: toutes variétés *Poissons frais*: toutes variétés Poissons *en conserve dans l'eau*	Charcuteries Viandes ou poissons fumés Viandes (frites) rôties dans du gras	Digestion plus difficile et forte teneur en sodium Irritantes pour l'intestin

* À *limiter*: peut être irritant pour l'intestin.

TABLEAU 6 (suite)
Guide nutri-fibres

ALIMENTS	LES PETITS PRIVILÉGIÉS	LES GRANDS DÉFAVORISÉS	
7. SOURCES PROTÉIQUES Ce groupe d'aliments n'est pas une source de fibres alimentaires	Oeufs	Oeufs frits	Friture: irritante pour l'intestin
	Fromages: toutes variétés, particulièrement: fromage tofu (lait de soja) fromages fermes	Fromage à la crème fondu, à tartiner	Moins de valeur nutritive
8. DESSERTS	*Yogourts*: toutes variétés *Lait ou crème glacée* *Desserts au lait* *Pâtisseries* préparées avec lait de beurre, yogourt, fromage, fruits séchés, noix, graines, céréales complètes, caroube, fruits frais, légumes, etc. Confitures ou tartinades réduites en sucre (ou «double fruits légère»)	Pâtisseries riches avec glace ou crème fouettée, beignes, gâteaux, muffins, tartes ordinaires, mousses, poudings, gélatine (dans le commerce) Chocolat sous toutes formes Gelée, miel, sirop	Trop de calories PEU DE FIBRES ALIMENTAIRES Contient des fibres, mais trop riche en sucre et en gras PAS DE FIBRES
9. MATIÈRES GRASSES	Beurre d'arachide croquant ou crémeux Tahini ou beurre de sésame	Beurre, margarine, huile, crème, mayonnaise, sauce à salade, vinaigrette (avec modération)	Les gras consommés à l'état naturel lubrifient le résidu intestinal et favorisent l'évacuation, mais riches en calories PAS DE FIBRES

TABLEAU 7
Valeur en fibres alimentaires de quelques aliments

Aliments	Portion	Grammes	Fibres alimentaires		Polysaccharides non cellulosiques par portion	Cellulose par portion	Lignine par portion
			par 100 g	par portion			
CÉRÉALES							
All-Bran	200 ml	30	26,70	8,01	5,35	1,80	0,86
Alpen	200 ml	30	7,41	2,22	1,59	0,41	0,22
Blé filamenté	1⅓ biscuit	30	12,26	3,68	2,64	0,79	0,25
Flocons de maïs	220 ml	20	11,00	2,20	1,45	0,50	0,26
Grape Nuts	200 ml	30	7,00	2,10	1,54	0,38	0,17
Puffed Wheat	250 ml	15	15,41	2,31	1,55	0,39	0,37
Rice Krispies	250 ml	16	4,47	0,71	0,55	0,12	0,04
Spécial K	220 ml	20	5,45	1,09	0,74	0,14	0,21
Sugar Puffs	220 ml	20	6,08	1,20	0,80	0,20	0,22
Weetabix	2 biscuits	30	12,72	3,82	2,75	0,71	0,36
FARINES							
Farine tout usage	250 ml	110	3,15	3,47	2,77	0,67	0,03
Farine de blé entier	250 ml	127	7,87	9,99	7,24	1,80	0,95
Farine tout grain	250 ml	80	9,51	7,60	5,00	1,97	0,64
Farine de son	250 ml	127	44,00	55,88	41,53	10,23	4,10
PAINS							
Pain blanc	1 tranche	30	2,72	0,82	0,60	0,21	trace
Pain de blé entier	1 tranche	30	5,11	1,53	1,08	0,40	0,05

TABLEAU 7 (suite)
Valeur en fibres alimentaires de quelques aliments

Aliments	Portion	Grammes	Fibres alimentaires par 100 g	Fibres alimentaires par portion	Polysaccharides non cellulosiques par portion	Cellulose par portion	Lignine par portion
Pain tout grain	1 tranche	30	8,50	2,55	1,79	0,39	0,37
BISCUITS							
Biscottes de blé	4	12	4,83	0,58	0,40	0,11	0,07
Biscottes de seigle	4	13	11,73	1,53	1,08	0,22	0,23
Biscuits Digestifs au chocolat à demi enrobés	2	25	3,50	0,88	0,53	0,15	0,20
Biscuits au gingembre	2	10	1,99	0,20	0,15	0,03	0,02
Biscuits au gruau ou à l'avoine	1	19	4,00	0,76	0,60	0,08	0,08
Biscuits secs	4	20	1,66	0,33	0,28	0,02	0,03
Gaufrettes	5	15	1,62	0,24	0,16	0,07	0,01
Matzo	1 (15cm)	20	3,85	0,77	0,54	0,14	0,09
FRUITS							
Banane	1 petite	100	1,75	1,75	1,12	0,37	0,26
Cerises fraîches	15	100	1,24	1,24	0,92	0,25	0,07
Fraises fraîches	10 grosses	100	2,12	2,12	0,98	0,33	0,81
Goyave en conserve	85 ml	100	3,64	3,64	1,67	1,17	0,80
Mandarine en conserve	95 ml	100	0.29	0,29	0,22	0,04	0,03

TABLEAU 7 (suite)
Valeur en fibres alimentaires de quelques aliments

Aliments	Portion	Grammes	Fibres alimentaires par 100 g	Fibres alimentaires par portion	Polysaccharides non cellulosiques par portion	Cellulose par portion	Lignine par portion
Mangue en conserve	85 ml	100	1,00	1,00	0,50	0,32	0,03
Pamplemousse en conserve	125 ml	132	0,79	1,23	0,45	0,05	0,73
Pêche fraîche	1 moyenne	100	2,28	2,28	1,46	0,20	0,62
Poire sans pelure	1 moyenne	130	2,44	3,17	1,72	0,87	0,58
Pomme sans pelure sans coeur	1 moyenne	100	1,42	1,42	0,94	0,48	0,01
Prunes	2 moyennes	100	1,52	1,52	0,99	0,23	0,30
Raisins Sultana	125 ml	80	4,40	3,52	1,92	0,66	0,94
Rhubarbe crue	250 ml	125	1,78	2,23	1,16	0,88	0,19
NOIX							
Arachides écalées	150 ml	100	9,30	9,30	6,40	1,69	1,21
Noix du Brésil	85 ml	100	7,73	7,73	3,60	2,17	1,96
GARNITURES							
Beurre d'arachide	20 ml	20	7,55	1,51	1,13	0,38	trace
Cornichon «Pickle»	1 de 7 cm	20	1,53	0,31	0,18	0,10	0,02
Confiture de fraises	15 ml	20	1,12	0,22	0,17	0,02	0,03
Confiture de prunes	15 ml	20	0,96	0,19	0,16	0,03	trace
Marmelade	15 ml	20	0,71	0,14	0,13	0,01	trace
LÉGUMES							
Brocoli (têtes)	150 ml	100	4,10	4,10	2,92	0,85	0,03

TABLEAU 7 (suite)
Valeur en fibres alimentaires de quelques aliments

Aliments	Portion	Grammes	Fibres alimentaires par 100 g	Fibres alimentaires par portion	Polysaccharides non cellulosiques par portion	Cellulose par portion	Lignine par portion
Carottes bouillies	170 ml	100	3,70	3,70	2,22	1,48	trace
Chou râpé	150 ml	100	2,83	2,83	1,76	0,90	0,38
Chou-fleur bouilli	200 ml	100	1,80	1,80	0,67	1,13	trace
Choux de Bruxelles	5 moyens	100	2,86	2,86	1,99	0,80	0,07
Croustilles	10 moyennes	20	3,20	0,64	0,41	0,22	trace
Haricots secs cuits	150 ml	114	7,27	8,29	6,46	1,61	0,22
Laitue	320 ml	100	1,53	1,53	0,47	1,06	trace
Maïs cuit (épi)	1 de 10 cm	100	4,74	4,74	4,31	0,31	0,12
Maïs en conserve	120 ml	100	5,69	5,69	4,97	0,64	0,08
Oignon cru	1 de 6 cm	100	2,10	2,10	1,55	0,55	trace
Panais	1 de 14 cm	100	4,90	4,90	3,77	1,13	trace
Pois congelés crus	170 ml	115	7,75	8,91	6,80	2,40	0,21
Pois en conserve, égouttés	170 ml	100	7,85	7,85	5,20	2,30	0,35
Poivron vert	1 moyen	100	0,93	0,93	0,59	0,24	trace
Pomme de terre crue	1 petite	100	3,51	3,51	2,49	1,02	trace
Rutabaga cru	180 ml	100	2,40	2,40	1,61	0,79	trace
Tomate fraîche	1 petite	100	1,40	1,40	0,65	0,45	0,30
Tomates en conserve	100 ml	100	0,85	0,85	0,45	0,37	0,03
SOUPES DÉSHYDRATÉES	(1 sachet de 60 g donne 4 portions)						
Minestrone	1	15	6,61	1,65	1,15	0,48	0,03
Queue de boeuf	1	15	3,84	0,96	0,72	0,24	trace
Tomates	1	16	3,32	0,83	0,49	0,33	0,01

TABLEAU 7 (suite)
Valeur en fibres alimentaires de quelques aliments

Aliments	Portion	Grammes	Fibres alimentaires par 100 g	Fibres alimentaires par portion	Polysaccharides non cellulosiques par portion	Cellulose par portion	Lignine par portion
BOISSONS ET EXTRAITS CONCENTRÉS							
Café instantané	5 ml	2	16,41	0,33	0,31	0,01	0,01
Cacao	15 ml	7	43,27	3,03	0,79	0,29	2,00
Poudre pour boisson chocolatée	25 ml	28	8,20	2,30	0,73	0,33	1,24
Bovril	15 ml	19	0,91	0,17	0,16	0,01	0,01
Base de boeuf ou poulet en poudre (La marmite)	15 ml	7	2,69	0,19	0,18	—	—

Règle d'or

**pour une consommation maximale
de fibres alimentaires**

CHOIX n° 1 : **Le son :**
44% de fibres dont 32,7% d'hémicellulose : 13 fois plus que la farine blanche enrichie (3%).

CHOIX n° 2 : **Les produits céréaliers à grains entiers :**
jusqu'à 25% de fibres.

— les céréales de son entier : All-Bran (26,7%), 6 fois plus que les céréales raffinées : (riz crispé 4%).

— la farine de grain entier (9,6%), 3 fois plus que la farine blanche (3%).

— le pain « tout grain » complet (8,5%), 3 fois plus que le pain blanc enrichi (2,7%).

— le riz brun (5,5%), 2 fois plus que le riz blanc poli (2%).

— les céréales non sucrées : Cornflakes (11%), 8 fois plus que les céréales sucrées : Honeycomb (1,3%).

CHOIX n° 3 : **Les noix :**
de 6 à 14% selon la variété.

— la noix de coco séchée (24% de fibres), 3 fois plus que les arachides fraîches (8,7%).

les amandes (14%), 3 fois plus que les noix de Grenoble (5%).

CHOIX n° 4 : **Les légumes secs :**
de 6 à 10% de fibres.

— les haricots et les pois secs (en moyenne 15%), jusqu'à 6 fois plus que les carottes (3%).

— les lentilles sèches (11,7%), 8 fois plus que les laitues (1,5%).

CHOIX n° 5 : **Les fruits :**
de 2 à 24% (sous forme déshydratée).

— les fruits séchés, ex. : abricots (24%), 12 fois plus que le fruit frais (2%).

— tous les fruits à graines multiples et à chair ferme, ex. : mûres (7%), grenadille (15%), les meilleures sources.

— les fruits frais (2%), un peu plus que ceux en conserve (1%).

— les fruits en conserve non sucrés (1,5%), plus que les fruits en conserve sucrés (1%)*.

— les jus d'agrumes, traces de fibres comparativement aux agrumes frais.

— tous les jus sans pulpe, aucune fibre.

CHOIX n° 6 : **Les légumes frais :**

de 1 à 8% selon la variété.

— les cosses et les graines les plus riches de tous, ex. : pois frais (8%).

— les racines (4%), 2 fois plus que les laitues (1,5%).

— les fanes vert foncé et les plantes sauvages plus que les laitues.

— les épinards cuits, 4 fois plus que crus.

---

* Moins il y a de sucre dans un produit, plus il y a de place pour des fibres.

Comment planifier votre menu et votre consommation quotidienne de fibres

Pour certaines personnes, hélas! la diététique apparaît encore comme une science hostile associée à diète, à régime calculé, à restriction et même avouons-le à maladie. Heureusement, la promotion de la santé et de sa sauvegarde est aujourd'hui à la mode. On regarde la diététique avec des yeux neufs, remplis d'espoir. Désormais, on compte sur elle pour nous aider à bien équilibrer nos menus et à cuisiner des plats savoureux et nutritifs qui amélioreront à la fois notre santé et notre qualité de vie.

Cependant, pour planifier adéquatement son alimentation, il est primordial d'effectuer d'abord une analyse sincère de ses habitudes alimentaires actuelles. Nous vous invitons donc à compléter le test d'auto-évaluation placé à la fin du chapitre III de cette partie: constatez si vous vous nourrissez bien et si vous consommez suffisamment de fibres chaque jour. Le résultat décidera de votre programme.

Maintenant, vous êtes en mesure d'élaborer votre plan d'alimentation et de décider de la quantité quotidienne de fibres dont vous avez besoin. À cette fin, nous vous proposons trois menus types qui vous permettront d'élever avec prudence votre niveau de consommation de fibres, selon votre tolérance.

Le menu type du petit débutant s'adresse à ceux dont l'alimentation est nettement déficiente en fibres résiduelles. Vous verrez avec plaisir qu'il est très facile d'ingérer 30 g de fibres, et ce, sans trop modifier vos petites habitudes. Pourquoi ne pas commencer votre journée en choisissant parmi les recettes «boni»? Vous vous assurez d'un coup d'un apport important aisément comblé par les autres repas.

L'intermédiaire est destiné aux privilégiés qui prennent des repas bien équilibrés et à ceux dont la consommation en produits végétaux est déjà importante. Lorsque les bienfaits du plan pour petit débutant se font sentir et que la tolérance aux aliments fibreux est acquise, il est temps pour vous aussi de passer au palier de 45 g de fibres par jour ; ce qui représente un niveau suffisant pour la grande majorité d'entre nous puisque cette quantité double au moins la consommation moyenne actuelle.

Pour un adulte initié ou végétarien désireux de pousser plus avant l'aventure «fibres», le menu type de l'initié à 60 g permet de relever un défi qui récompensera les efforts. Mais, attention! il faut l'aborder seulement quand vous vous sentez prêts et que votre santé est parfaite : vouloir progresser trop rapidement occasionnerait des désordres digestifs ennuyeux. Le but visé demeure le bien-être de votre organisme et le confort intestinal grâce à l'équilibre du régime.

C'est pourquoi, à titre d'exemple, vous pouvez vous inspirer des menus détaillés qui accompagnent chacun des trois plans types pour établir votre menu quotidien et planifier des repas variés et intéressants. En les prenant comme guide, vous êtes assurés de faire les bons choix, de consommer des portions adéquates et ainsi de manger de manière équilibrée tout en améliorant vos habitudes alimentaires.

Le système proposé est simple et basé sur les équivalences alimentaires. Tous les aliments essentiels à la santé y sont représentés avec les quantités qu'il est souhaitable de consommer. En outre, tous les aliments contenant des quantités appréciables de fibres sont répartis en *cinq groupes* selon leur composition nutritive. Chaque groupe appelé «liste d'échanges» renferme des aliments interchangeables entre eux et indique le volume de la portion permettant de les substituer pour obtenir le même apport de fibres.

À l'intérieur de chacun des groupes, une classification selon la teneur en fibres permet non seulement de repérer les aliments qui en contiennent le plus mais facilite les substitutions d'une catégorie à une autre. C'est ainsi qu'il devient possible de remplacer un légume à 8 g de fibres par deux autres à 4 g, en tenant compte bien entendu de la quantité précisée. Les échanges doivent se faire dans le même groupe d'aliments car chacun renferme des éléments nutritifs spécifiques.

Donc, nul besoin de vous astreindre à calculer la valeur en fibres de chaque aliment si vous optez pour l'un des trois menus types présentés.

Il importe seulement de consommer tous les groupes d'aliments mentionnés dans les quantités recommandées à chacun des repas ; vous obtenez ainsi un menu équilibré dans tous les éléments nutritifs essentiels. Il ne vous reste plus qu'à choisir parmi la gamme variée d'aliments que vous offrent les listes d'échanges.

Une liste supplémentaire de mets principaux vous suggère comment obtenir un mets riche en protéines et en fibres à l'un des deux repas. Certaines recettes à base de légumineuses vous démontrent la façon de combiner les aliments pour obtenir la même qualité de protéines que celle fournie par les autres sources animales.

Les mots «*à volonté*» figurant sur les menus types signifient uniquement que ces aliments ne contiennent pas de fibres alimentaires. Quant à l'expression «*avec modération*», elle indique que la consommation abusive de matières grasses n'est pas à encourager. En outre, nous jugeons préférable de limiter la consommation de boissons stimulantes pour des raisons d'équilibre biologique. Le terme «*échange*» désigne les aliments ou les recettes à choisir et à interchanger dans les listes correspondantes ainsi que les portions à consommer pour rencontrer la teneur en fibres désirée.

Dès que vous aurez maîtrisé l'usage des listes d'échanges et que vous vous serez habitués à consommer des repas comprenant tous les groupes d'aliments, vous pourrez élaborer votre modèle d'alimentation hyperrésiduelle.

Choisir les bons aliments, les associer pour les compléter, déterminer les quantités pour rencontrer la teneur en fibres souhaitée ne sera plus un secret pour vous. Votre créativité fera le reste. Vous ferez la preuve que même un profane peut réussir à développer l'art de se bien nourrir sans dépendre de l'aide professionnelle ou de diète toute faite qui ne lui convient pas toujours.

Le nouveau mode de vie que vous venez d'adopter en est un d'abondance, de plaisirs et de fantaisies. Tout mangeur qui se respecte aime voir son assiette bien remplie de «bonne bouffe». Comme il est rassurant de savoir que les calories ne sont plus une menace grâce à la variété et à la qualité des aliments que vous choisirez dorénavant. Bon appétit! et Bonne santé!

CHAPITRE I

Menus types

Menu type pour petit débutant / 30 g de fibres

	Aliments	Quantité	FIBRES (grammes)
PETIT DÉJEUNER	Fruit	1 échange	2
	Céréale	1 échange	4
	Pain ou substitut	1 échange	2
	Matière grasse	avec modération	0
	Source protéique au choix	à volonté	0
	Lait	à volonté	0
	Café ou thé	250 ml	0
DÎNER OU LUNCH	Bouillon ou jus	à volonté	0
	Source protéique (mets principal)	1 échange	6
	Légume	1 échange	2
	Pain ou substitut	1 échange	2
	Matière grasse	avec modération	0
	Fruit	1 échange	2
	Lait	à volonté	0
	Boisson (thé, café)	250 ml	0
SOUPER	Potage	1 échange	4
	Source protéique au choix	à volonté	0
	Légume	1 échange	2
	Pain ou substitut	1 échange	2
	Matière grasse	avec modération	0
	Fruit ou dessert	1 échange	2
	Lait	à volonté	0
	Boisson (thé, café)	250 ml	0
	Collation sans fibres		

30

Exemple de menu détaillé pour petit débutant / 30 g de fibres

	Aliments	Quantité	FIBRES (grammes)
PETIT DÉJEUNER	Mandarine fraîche ou orange	1 petite (125 g)	2
	Céréale «fruits et fibres»	200 ml	4
	Pain de blé entier, grillé	1 tranche	2
	Beurre ou margarine	5 ml	0
	Oeuf poché	1	0
	Lait 2%	200 ml	0
	Café	250 ml	0
DÎNER OU LUNCH	Jus de légumes	à volonté	0
	Dal *	125 ml	6
	Bâtonnets de carottes crues	125 ml (1 moyenne)	2
	Pain pita de blé entier	1 pochette	2
	Beurre ou vinaigrette	5 ml	0
	Pêche fraîche	1 moyenne	2
	Lait 2%	250 ml	0
	Thé ou café	250 ml	0
SOUPER	Potage «toutes saisons» *	190 ml	4
	Poulet B.B.Q.	90 g	0
	Purée de pomme de terre	125 ml	1
	Salade verte	125 ml (2 feuilles)	1
	Petit pain de blé entier	1	2
	Beurre ou margarine	5 ml	0
	Salade de fruits frais	125 ml	2
	Lait 2%	250 ml	0
	Thé ou café	250 ml	0
	Collation: yogourt au choix		

* Voir recettes, p. 212, 181.   **30**

Menu type intermédiaire / 45 g de fibres

	Aliments	Quantité	FIBRES (grammes)
PETIT DÉJEUNER	Fruit	1 échange	4
	Céréale	1 échange	4
	Pain ou substitut	1 échange	2
	Matière grasse	avec modération	0
	Source protéique au choix	à volonté	0
	Lait	à volonté	0
	Café ou thé	250 ml	0
DÎNER OU LUNCH	Bouillon ou jus	à volonté	0
	Source protéique (mets principal)	1 échange	6
	Légume	1 échange	4
	Pain ou substitut	1 échange	2
	Matière grasse	avec modération	0
	Fruit	1 échange	4
	Lait	à volonté	0
	Boisson (thé, café)	250 ml	0
SOUPER	Potage	1 échange	6
	Source protéique au choix	à volonté	0
	Légume	1 échange	6
	Pain ou substitut	½ échange	1
	Matière grasse	avec modération	0
	Fruit ou dessert	1 échange	6
	Lait	à volonté	0
	Boisson (thé, café)	250 ml	0
	Collation sans fibres		
			45

Exemple de menu détaillé intermédiaire / 45 g de fibres

	Aliments	Quantité	FIBRES (grammes)
PETIT DÉJEUNER	Banane	1 moy. (15 cm)	4
	Céréale de son «Cracklin Bran»	85 ml	4
	Pain de blé entier grillé	1 tranche	2
	Beurre ou margarine	5 ml	0
	Fromage cheddar	30 g	0
	Lait 2%	200 ml	0
	Café	250 ml	0
DÎNER OU LUNCH	Consommé de boeuf	à volonté	0
	Macaro-chili *	375 ml	6
	Chiffonnade de légumes verts *	170 ml	4
	Vinaigrette	10 ml	0
	Pomme au four	1 grosse	4
	Biscuits à la farine d'avoine	3	2
	Lait 2%	250 ml	0
	Thé ou café	250 ml	0
SOUPER	Potage minestrone *	250 ml	6
	Fromage cottage	60 ml	0
	Salade verdoyante *	250 ml	6
	Biscottes de blé entier avec fibres	2	1
	Beurre ou margarine	5 ml	0
	Bagatelle aux perles bleues *	125 ml	6
	Lait 2%	250 ml	0
	Thé ou café	250 ml	0
	Collation: yogourt au choix		

* Voir recettes, p. 207, 227, 178, 223, 240-241.   **45**

Menu type de l'initié / 60 g de fibres

	Aliments	Quantité	FIBRES (grammes)
PETIT DÉJEUNER	Fruit	1 échange	8
	Céréale	1 échange	6
	Pain ou substitut	1 échange	2
	Matière grasse	avec modération	0
	Source protéique au choix *et*	à volonté	0
	Noix	½ échange	1
	Lait	à volonté	0
	Café ou thé	250 ml	0
DÎNER OU LUNCH	Bouillon ou jus	1 échange	6
	Source protéique (mets principal)	1 échange	8
	Légume	1 échange	2
	Pain ou substitut	1 échange	2
	Matière grasse	avec modération	0
	Fruit	1 échange	4
	Lait	à volonté	0
	Boisson (thé, café)	250 ml	0
SOUPER	Potage	1 échange	6
	Source protéique au choix	à volonté	0
	Légume	1 échange	6
	Pain ou substitut	½ échange	1
	Matière grasse	avec modération	0
	Fruit ou dessert	1 échange	8
	Lait	à volonté	0
	Boisson (thé, café)	250 ml	0
	Collation sans fibres		
			60

Exemple de menu détaillé pour l'initié / 60 g de fibres

	Aliments	Quantité	FIBRES (grammes)
PETIT DÉJEUNER	Pruneaux, secs, cuits	90 ml	8
	Céréale «son de maïs»	180 ml	6
	Muffin anglais de blé entier	1	2
	Beurre d'arachide *ou*	15 ml	1 *ou*
	Noix hachées (céréale)	50 ml	1
	Lait 2%	200 ml	0
	Café	250 ml	0
DÎNER OU LUNCH	Cocktail de crudités *	284 ml	6
	Crevettes et thon au cari sur lit de riz brun *	236 g	8
	Salade d'épinards ou Verdure sauvage	125 ml	2
	Pain de seigle ou	1 tranche ou	2 *ou*
	Craquelins de seigle	6	2
	Beurre ou vinaigrette	10 ml	0
	Poire fraîche	1 moyenne	4
	Lait 2%	250 ml	0
	Thé ou café	250 ml	0
SOUPER	Chaudrée «Brin de fibres» *	250 ml	6
	Oeufs cuits durs	2	0
	Salade piquante aux trois légumineuses *	250 ml	6
	Vinaigrette	10 ml	0
	Sublime aux figues fraîches *	3 figues	8
	Biscuits digestifs	2	1
	Lait 2%	250 ml	0
	Thé ou café	250 ml	0
	Collation : yogourt		

* Voir recettes, p. 177, 201, 179, 211, 235.　　　　　**60**

CHAPITRE II

Listes d'échanges

Liste d'échanges des produits céréaliers

Aliments	Teneur en fibres: 8 g	Poids (grammes)
	Mesure (millilitres)	
All Bran	200	30
Avoine roulée régulière	300	120
Bran Buds	85	28
Cracklin Bran	160	56
Farine complète (tout grain)	185	94
Farine de blé entier (100%)	170	80
Farine de soya dégraissée	170	57
Farine de soya entière	200	67
Gruau de maïs sec	180	75
Germe de maïs	70	40
Orge perlé sec	130	125
Son de blé (100%)	85	20
Son de maïs	220	41

Recette

Pain ultra-fibre (p. 247)	1 tranche, 2 cm d'épaisseur

Liste d'échanges des produits céréaliers (suite)

Aliments	Teneur en fibres : 6 g Mesure (millilitres)	Poids (grammes)
Blé filamenté	2 biscuits	48
Farine de blé entier (85%)	170	80
Farine de son	45	12
Germe de maïs	50	28
Orge perlé sec	105	100
Pain de blé entier (100%)	2 tranches	60
Pain de seigle foncé (entier)	2 tranches	64
Riz brun sec	125	118
Son de blé	60	15
Son de maïs	170	30
Weetabix	4 biscuits	50
Recettes		
Biscuits «Crunch» aux figues (p. 248)	1 biscuit	
Gourmandises aux céréales (p. 249)	1 bouchée	

Liste d'échanges des produits céréaliers (suite)

Aliments	Teneur en fibres: 4 g	Poids (grammes)
	Mesure (millilitres)	
Bran Flakes	170	**28**
Cracklin Bran	85	**28**
Fruits et fibres (céréale)	200	**30**
Honey Bran (céréale)	250	**35**
Farine blanche tout usage	275	**130**
Grape-Nuts (Post)	60	**30**
Maïs éclaté (*pop-corn*)	460	**26**
Muesli	125	**60**
Nouilles aux oeufs	200	**134**
Pain de blé concassé	2 tranches	**60**
Raisin Bran	180	**37**

Recettes	
Biscuits croquants sans cuisson (p. 254)	1 biscuit de 10 cm
Croûte à tarte de blé entier (p. 216)	⅙ de 23 cm (diam.)
Croûte à tarte simple non roulée (p. 253)	⅙ de 23 cm (diam.)
Gâteau au gruau de grand-mère (p. 250)	1 carré de 10 cm
Muffin aux pruneaux (p. 252)	1 unité
Muffin au son et aux dattes (p. 251)	1 unité

Liste d'échanges des produits céréaliers (suite)

Aliments	Teneur en fibres : 2 g Mesure (millilitres)	Poids (grammes)
Alpen	200	**28**
Biscuit Digestif	3 biscuits	**48**
Biscuit au gingembre	10 biscuits	**100**
Biscuit Graham	3 (carré de 6 cm)	**21**
Biscuit à la farine d'avoine (Dad's)	3 biscuits	**57**
Biscuit sablé (*shortbread*)	5 biscuits	**100**
Biscuit sandwich (toutes variétés)	12 biscuits	**167**
Biscuit enrobé de chocolat	4 biscuits	**65**
Biscuit salé avec fibres	4 biscuits	**28**
Biscuit salé de blé entier	20 (carré de 5 cm)	**41**
Biscuit soda	32 biscuits	**85**
Chapati (pain de blé sans levain)	2 tranches	**60**
Chapelure sèche de blé	170	**60**
Craquelin de seigle (*Rye crisp bread*)	6 (2 triples)	**18**
Flocons de maïs	250	**25**
Granola	125	**40**
Grapenut (*flakes*)	200	**28**
Gruau cuit	250	**233**
Macaroni au four avec fromage	300	**284**
Matzo	2 pains	**60**
Mini-wheat givré	4 biscuits	**28**
Nutri-grain : orge, blé, maïs, seigle	190	**31**

Liste d'échanges des produits céréaliers (suite)

Aliments	Teneur en fibres : 2 g		Poids (grammes)
		Mesure (millilitres)	
Orge mondé cuit		125	**100**
Pain complet tout grain		1 tranche	**28**
Pain blanc à haute teneur en fibres		2 tranches	**60**
Pain de blé entier (100%)		1 tranche	**28**
Pain de maïs		2 tranches	**60**
Pain blanc enrichi		3 tranches	**90**
Pain de seigle foncé		1 tranche	**30**
Petit pain blanc croûté		2 pains	**80**
Petit pain brun croûté de blé entier		1 pain	**40**
Riz blanc poli, sec		125	**118**
Riz crispé		400	**45**
Spécial K		500	**32**

Recette			
Muffin de blé entier aux canneberges (p. 255)		1 unité	

Liste d'échanges des légumineuses

Aliments	Teneur en fibres: 8 g	Poids (grammes)
	Mesure (millilitres)	
Haricots blancs, cuits, en conserve, sauce tomate (*baked beans*)	125	**135**
Haricots bruns secs	100	**85**
Haricots de Lima secs	270	**206**
Haricots Pinto secs	105	**80**
Haricots rouges secs	115	**75**
Lentilles brunes sèches	85	**70**
Pois chiches (garbanzos) secs	170	**142**
Pois cajan; pois du Congo (*Pigeon pea*)	60	**50**
Pois fendus secs	80	**70**
Pois fendus secs cuits	170	**179**
Pois secs entiers	60	**50**

Recettes

Hummus (p. 191)	125	
Potage de pois chiches et tomates (p. 174)	250	
Trempette de haricots frits (p. 200)	125	

Liste d'échanges des légumineuses (suite)

Aliments	Teneur en fibres: 6 g Mesure (millilitres)	Poids (grammes)
Gourganes (fèves des marais) sèches	190	**142**
Haricots blancs secs	250	**206**
Haricots de Lima secs	215	**162**
Haricots rouges secs	80	**55**
Lentilles cuites, égouttées	250	**156**
Pois chiches, cuits	125	**105**
Pois fendus secs, cuits	110	**118**
Pois secs entiers, cuits	360	**125**

Recettes

Aliments	Mesure (millilitres)	
Dal (Masoor Ki Dhal) (p. 212)	125	
Salade piquante aux 3 légumineuses (p. 211)	250	
Soupe aux haricots et fromage (p. 175)	250	
Soupe aux pois d'autrefois (p. 180)	250	

Aliments	Teneur en fibres: 4 g Mesure (millilitres)	Poids (grammes)
Germes de haricots mung, cuits, égouttés	250	**132**
Gourganes sèches	130	**100**
Haricots blancs secs	170	**138**
Haricots de Lima secs	130	**100**
Lentilles cuites, égouttées	125	**78**
Pois secs entiers cuits	85	**80**

Recette

Salade de lentilles marinées (p. 213)	250	

Liste d'échanges des légumes

Aliments	Teneur en fibres: 8 g		Poids (grammes)
	Mesure (millilitres)		
Brocoli frais cuit égoutté	300		**195**
Épinard frais cuit	170		**130**
Maïs en grains cuit égoutté	200		**140**
Petits pois frais, crus ou cuits	225		**154**
Petits pois surgelés cuits	100		**70**
Petits pois en conserve égouttés	200		**127**
Plantain, feuilles cuites	200		**125**
Verdures cuites (carde, bette, pissenlit, etc.)	350		**214**

Recettes

Aspic printanier aux légumes (p. 214)	1 tranche (⅒)	
Gratin de patate douce (p. 221)	150	
Petits pois et oignons aux raisins (p. 218)	150	
Salade croque-nature (p. 203)	300	
Tarte au panais et aux figues (p. 216)	1 pointe (⅛)	
Topinambours à l'orange (p. 220)	125	
Trempette de verdures fraîches (p. 219)	125	

Liste d'échanges des légumes (suite)

Aliments	Teneur en fibres: 6 g	Poids (grammes)
	Mesure (millilitres)	
Aubergine fraîche en dés	300 ou 4 tranches (10 cm sur 1 cm)	**240**
Brocoli frais cru	1 tige moyenne	**168**
Brocoli frais cuit égoutté	200	**146**
Carottes fraîches cuites	315	**194**
Choux de Bruxelles frais crus	250 (7-8 moyens)	**164**
Courges d'été crues	225	**200**
Courges d'hiver crues en cubes	200	**170**
Épinards frais cuits	125	**100**
Igname cuite	180	**150**
Maïs en épi cuit	1 (13 cm)	**140**
Maïs en grains cuit	150	**120**
Patate douce cuite, pelée après cuisson	2 moyennes	**261**
Pelures de pommes de terre rôties (potato crisps)	400	**50**
Pomme de terre cuite au four	2 moyennes	**250**
Zucchini	225 (2 moyennes)	**200**

Recettes

Chaudrée «brin de fibres» (p. 179)	250	
Cocktail de crudités (p. 177)	284	
Gaspacho (p. 176)	240	
Gratin de patate douce (p. 221)	100	
Potage minestrone (p. 178)	250	
Salade croque-nature (p. 203)	200	
Salade fruitée rayonnante (p. 224)	300	
Salade de plein air (p. 226)	375	
Salade verdoyante (p. 223)	250	
Succotash (p. 222)	250	

Liste d'échanges des légumes (suite)

Aliments	Teneur en fibres: 4 g Mesure (millilitres)	Poids (grammes)
Aubergine crue	200	**160**
Brocoli frais cuit	150	**100**
Carottes fraîches crues	2 moyennes	**130**
Carottes fraîches cuites	215	**133**
Champignons frais crus	16 gros	**160**
Chou blanc ou rouge cuit	185	**133**
Choux de Bruxelles cuits	200 (6-7 moyens)	**138**
Chou vert frisé cru, râpé	500	**100**
Courges d'été crues	150	**133**
Courges d'hiver crues	115	**100**
Épinards frais crus	250	**32**
Fanes de légumes ou plantes cuites	125	**100**
Gombos frais crus	170 (12 unités)	**125**
Igname cruc	1 petite	**100**
Igname cuite	125	**100**
Maïs en grains cuit égoutté	100	**70**
Moutarde et cresson (feuilles crues)	160	**100**
Navet cru	250	**142**
Navet cuit en dés	215	**180**
Panais cru	1 (14 cm)	**100**
Panais cuit égoutté	250	**160**
Patate douce	1½	**160**
Persil frais	165	**44**

Liste d'échanges des légumes (suite)

Aliments	Teneur en fibres: 4 g		Poids (grammes)
	Mesure (millilitres)		
Poireau cru	5 moyens		**125**
Poireau cuit	3-4 moyens		**100**
Pomme de terre crue	2 petites		**190**
Pomme de terre déshydratée			
(flocons)	70		**24**
Poudre de pomme de terre			
instantanée, reconstituée	125		**100**
Salsifis blancs cuits	200		**133**

Recettes

Brochettes de crudités avec sauce-trempette à l'aneth (p. 229)	250	
Chiffonnade de légumes verts (p. 227)	170	
Choux de Bruxelles à la sauce piquante (p. 230)		4 ou 5 choux
Mousseline de navet et de pommes (p. 231)	125	
Potage aux fanes de navet (p. 182)	250	
Potage « toutes saisons » (p. 181)	190	

Liste d'échanges des légumes (suite)

Aliments	Teneur en fibres: 2 g Mesure (millilitres)	Poids (grammes)
Asperges fraîches cuites, égouttées, non cuites	8 tiges, 1 cm de diamètre	118
Asperges cuites en morceaux, égouttées,	190	118
Aubergine crue	125	100
Betteraves cuites égouttées	125	90
Brocoli frais cuit	75	50
Carotte fraîche crue	125 (1 de 2,5 cm sur 14 cm)	54
Carotte cuite	100	65
Céleri frais en dés	200	100
Céleri cuit égoutté	190	100
Champignons frais crus	200 (8 gros)	80
Chou blanc cru râpé	195	74
Chou rouge cru râpé	200	59
Chou blanc cuit râpé	100	70
Choux de Bruxelles cuits	100 (3 moyens)	70
Chou-fleur cru	5 bouquets (250 ml)	100
Chou-fleur cuit	190	100
Concombre cru non pelé	1 petit (18 tranches)	140
Cornichons	7 (7 cm sur 2 cm)	130
Endives fraîches	2 moyennes	100
Épinards frais crus	145	20
Haricots verts frais ou surgelés	125	75
Laitues (toutes variétés)	4 grandes feuilles ou 300 ml	100
Oignon cru	1 (6 cm)	100
Oignon cuit	150	133
Persil frais	105	28
Poivron doux	3 moyens	227
Pommes de terre pelées bouillies	2	200
Pommes de terre nouvelles bouillies	2 (2,5 cm)	100
Purée de pommes de terre avec lait	250	206
Radis	36	200
Raifort frais râpé	60	28
Rutabaga cru en dés	150	83
Tomates fraîches	1 moyenne	130
Tomates en conserve	250	254
Sauce aux tomates en conserve	500	500

Liste d'échanges des fruits

Aliments	Teneur en fibres: 8 g	Poids (grammes)
	Mesure (millilitres)	
Abricots secs	50 (8 moitiés)	32
Abricots secs cuits, sans sucre, non égouttés	75	90
Abricots secs cuits, sucrés, non égouttés	80	95
Dattes sèches dénoyautées	125 (11 dattes)	92
Figues sèches non cuites	2 (5 cm sur 2,5 cm)	43
Figues sèches cuites, non sucrées	8 (5 cm sur 2,5 cm)	78
Figues sèches cuites, sucrées	9 (5 cm sur 2,5 cm)	83
Framboises fraîches	200	108
Framboises cuites non sucrées, non égouttées	150	103
Framboises cuites sucrées, non égouttées	125	114
Grenadille (fruit de la passion) crue	3 moyens	50
Groseilles noires (cassis)	200	92
Groseilles noires (cassis) cuites, non sucrées	240	108
Groseilles noires (cassis) cuites sucrées, non égouttées	120	118
Groseilles rouges (gadelles) crues	225	100

Liste d'échanges des fruits (suite)

Aliments	Teneur en fibres: 8 g	Poids (grammes)
	Mesure (millilitres)	
Groseilles rouges cuites, non sucrées	250	**114**
Groseilles rouges (gadelles) cuites, sucrées	125	**125**
Mûres noires crues	190	**110**
Mûres cuites, non sucrées	200	**127**
Mûres cuites, sucrées, non égouttées	140	**140**
Nèfle d'Amérique (sapotille)	1 petite	**150**
Pêches sèches crues	85 (7 moitiés)	**56**
Pêches sèches cuites, non sucrées,	130	**150**
Pêches sèches cuites, sucrées, non égouttées	140	**157**
Pelure de poires fraîches	————	**93**
Pruneaux secs	6 (5 cm sur 6 cm)	**50**
Pruneaux secs cuits, non sucrés, non égouttés	90	**100**
Pruneaux secs cuits, sucrés, non égouttés	95	**105**
Raisins secs de Corinthe	215	**123**
Raisins secs sultanines (de Smyrne)	170	**114**

Liste d'échanges des fruits (suite)

Aliments	Teneur en fibres : 8 g	Poids (grammes)
	Mesure (millilitres)	
Recettes		
Boisson « super-fibre » (p. 234)	250	
Compote de 4 fruits d'hiver (p. 237)	125	
Panier de fruits (p. 236)	250	
Soupe aux petits fruits d'été (p. 172)	180	
Sublime aux figues fraîches (p. 235)	3 figues	
RECETTES « BONI » *		
Fruits « bon réveil » (p. 232)	125	
Abricots Chantilly au cognac (p. 233)	125	

* La teneur en fibres d'une portion de chacune de ces deux recettes « boni » est très élevée : 19 g pour la première et 17 g pour la deuxième.

Liste d'échanges des fruits (suite)

Aliments	Teneur en fibres : 6 g		Poids (grammes)
	Mesure (millilitres)		
Avocat	1 gros de 8 cm de diamètre		• 284
Citron frais entier	1 (5 cm de diamètre)		110
Figues fraîches crues	5 moyennes		240
Groseilles à maquereau (vertes) crues	300		188
Groseilles à maquereau cuites non sucrées	220		222
Groseilles à maquereau cuites sucrées, non égouttées	235		240
Groseilles à maquereau rouges crues	285		170
Goyave cuite en purée	170 (2 moyennes)		170
Mûres de Logan crues	170		100
Mûres de Logan cuites, non sucrées	175		105
Mûres de Logan cuites sucrées, non égouttées	145		115
Nectarine crue avec pelure	2 petites		250
Prunes «Reine-Claude» crues	4 moyennes (4 cm de diamètre)		230
Prunes cuites avec noyaux et sirop léger	265 (9 moyennes)		286
Raisins secs	125		88
Rhubarbe cuite, non sucrée	200		250
Rhubarbe cuite, sucrée	250		287

Recettes

Poires farcies meringuées (p. 239)	1 poire (2 moitiés)	
Bagatelle aux perles bleues (p. 240)	125	
Tartelettes aux bananes et aux canneberges (p. 242)	1 tartelette de 10 cm	
Gâteau «Brunette» aux fruits frais (p. 244)	125	
Carrés aux dattes et aux noix (p. 243)	1 carré de 10 cm	

Liste d'échanges des fruits (suite)

Aliments	Teneur en fibres: 4 g — Mesure (millilitres)	Poids (grammes)
Avocat frais avec pelure	1 moyen (6 cm)	**173**
Banane	1 moyenne (15 cm)	**115**
Bleuets (myrtilles) crus	250	**145**
Canneberges crues ou pimbinas	250	**100**
Cerises crues	35 moyennes	**235**
Cerises cuites avec noyaux et sirop léger	325	**333**
Figues fraîches crues	3 moyennes	**160**
Fraises fraîches crues	300 (20 grosses)	**182**
Framboises fraîches crues	100	**54**
Grenadille (fruit de la passion)	1 petit	**25**
Groseilles rouges crues (gadelles)	110	**50**
Groseilles noires (cassis) crues	100	**46**
Groseilles à maquereau vertes crues	200	**125**
Mûres de Logan, crues	110	**65**
Mûres noires crues	95	**55**
Nectarine crue, non pelée	1 moyenne	**160**
Olives en saumure (vertes)	14 grosses	**90**
Olives noires avec noyaux	9 grosses	**90**
Orange	2 petites	**200**
Pêche fraîche crue avec pelure	3 moyennes (diam., 5 cm)	**286**
Poire fraîche avec pelure, crue	1 moyenne (diam., 6 cm)	**166**

Liste d'échanges des fruits (suite)

Aliments	Teneur en fibres: 4 g Mesure (millilitres)	Poids (grammes)
Poires fraîches cuites, sans sucre	160	**160**
Poires fraîches cuites et sirop léger	170	**174**
Pomme fraîche entière, avec pelure	1½ moyenne	**200**
Pomme cuite en compote, avec pelure, non sucrée	170	**175**
Pomme cuite au four	250	**170**
(pelure de pomme seulement)	———	**100**
Prunes (toutes variétés) crues	3 petites	**160**
Prunes cuites non sucrées	6 moyennes ou 170	**182**
Raisins secs de Smyrne	85	**56**
Raisins secs de Corinthe	100	**60**
Tangerine	2 petites (5 cm de diamètre)	**210**

Recettes		
Panier de fruits (p. 236)	125	
Compote de petits fruits (p. 246)	100	

Liste d'échanges des fruits (suite)

Aliments	Teneur en fibres : 2 g	Poids (grammes)
	Mesure (millilitres)	
Abricots frais crus	3 moyens	**114**
Abricots en conserve et sirop léger	5 moitiés	**125**
Abricots frais cuits, non sucrés	6 moitiés	**118**
Ananas frais en cubes	270	**167**
Ananas en conserve, jus naturel	215 (2 tranches)	**222**
Canneberges (airelles rouges) crues	125	**50**
Cantaloup cru, en cubes	300 (½ moyen)	**200**
Carambole cru	1 moyen	**127**
Cerises fraîches crues	18 moyennes	**118**
Cerises cuites, non sucrées	150	**145**
Cerises cuites, sucrées, non égouttées (sirop léger)	170	**167**
Figue fraîche crue	1 moyenne	**50**
Dattes sèches dénoyautées	3 moyennes	**25**
Fraises fraîches crues	160 (10 grosses)	**100**
Mangue fraîche crue, pelée	1 petite	**135**
Melon honeydew frais	½ petit (300 ml)	**200**
Mincemeat coupé	125 ml	**65**
Mûres fraîches crues (*mulberries*)	210	**118**
Nectar de poires	250	**250**
Olives noires avec noyaux	4 grosses	**45**
Olives en saumure (vertes)	7 moyennes	**45**
Orange	1 petite	**100**
Pamplemousse frais	1 entier (10 cm)	**340**
Papaye fraîche crue, en cubes	1 moyenne ou 250 ml	**304**
Pastèque (melon d'eau)	1 tranche épaisse ou 1/16 de melon	**925**
Pêches fraîches crues	2 petites (4 cm de diamètre)	**143**
Pêches en conserve et sirop léger	200	**200**

Liste d'échanges des fruits (suite)

Aliments	Teneur en fibres : 2 g		Poids (grammes)
	Mesure (millilitres)		
Poires en conserve et sirop léger	125		**128**
Pommes cuites sans pelure, au four	125		**85**
Pommes cuites sans pelure, bouillies	150		**100**
Prunes fraîches crues	1 moyenne		**70**
Prunes cuites non sucrées	3 moyennes		**90**
Prunes cuites avec sirop	2 moyennes		**105**
Raisins frais blancs (peau adhérente)	190		**123**
Raisins frais noirs (peau non adhérente)	250 (44 gros)		**225**
Rhubarbe fraîche crue	150		**77**
Salade de fruits en conserve	170		**182**
Sauce aux pommes non sucrée	180		**174**
Sauce aux pommes sucrée	170		**174**
Tangerine	1 petite		**100**

Recette

Compote de petits fruits (p. 246)	50

Liste d'échanges des noix et des graines

Aliments	Teneur en fibres: 8 g		Poids (grammes)
	Mesure (millilitres)		
Amandes écalées	95		56
Arachides fraîches écalées	170		100
Noix d'Espagne (arachides espagnoles)	130		78
Noix du Brésil écalées	180		100
Noix de coco fraîche	150		65
Noix de coco séchée, râpée	125		33

Recette

Tarte aux noix du Sud (p. 238)	1/6 de 23 cm	

Aliments	Teneur en fibres: 6 g		Poids (grammes)
	Mesure (millilitres)		
Amandes écalées	70		42
Arachides fraîches écalées (moitiés)	125		75
Arachides grillées salées	125		75
Châtaignes ou marrons	115		88
Noix du Brésil écalées	125		69
Noix de coco fraîche	100		44
Noix de coco séchée, râpée	90		26
Noix espagnoles	100		60
Noisettes sans coque	190		100

Liste d'échanges des noix et des graines (suite)

Aliments	Teneur en fibres: 4 g	Poids (grammes)
	Mesure (millilitres)	
Avelines mondées	125	75
Arachides grillées		
salées	80	49
Beurre d'arachide crémeux	50	53
Châtaignes ou marrons	85	67
Luzerne (germes crus)	500	100
Luzerne (germes cuits)	250	132
Noisettes mondées	130	65
Noix du Brésil écalées	80	45
Noix de Grenoble (moitiés)	180	77
Noix espagnoles	65	39

Recette

Macarons aux noix (p. 245)	2 boules

Aliments	Teneur en fibres: 2 g	Poids (grammes)
	Mesure (millilitres)	
Amandes écalées	25	14
Arachides fraîches écalées	40	25
Arachides grillées salées	40	25
Beurre d'arachide crémeux	30	32
Noisettes mondées	65	33
Noix du Brésil écalées	40	22
Noix de coco fraîche	35	15
Noix de coco séchée, râpée	30	8
Noix de Grenoble (moitiés)	90	38

Liste d'échanges des mets principaux

Recettes	Teneur en fibres: 10 à 15 g	Poids (grammes)
	Mesure (millilitres)	
Carré aux oeufs tricolore (p. 190)	1 carré de 5 cm	
Cuisseau de veau farci à l'orange (p. 188)		**150**
Oeufs à la florentine (p. 183)	2 oeufs	
Pomme de terre au four farcie (p. 184)	1 grosse	**150**
Rouelles à la mode végératienne (p. 192)	2 rouelles + 125 ml de sauce	
Soupe écarlate à la viande (p. 173)	250	
Tortillas (à la viande) mexicaines (p. 185)	2 tortillas + 125 ml de garniture	

Recettes	Teneur en fibres: 8 g	Poids (grammes)
	Mesure (millilitres)	
Cigares au chou rouge (p. 197)	2 roulés	**125**
Crevettes et thon au cari sur lit de riz brun (p. 201)		**236**
Moussaka à la grecque (p. 195)		**150**
Sukyaki et algues nori (p. 193)		**140**
Truites arc-en-ciel à l'avocat (p. 198)	1 truite	**142**

Recettes	Teneur en fibres: 6 g	Poids (grammes)
	Mesure (millilitres)	
Casserole de brocoli au fromage (p. 210)		**114**
Feuilletés Bricks et sauce macédoine (p. 204)	⅓ de roulé + 80 ml de sauce	
Macaro-chili (p. 207)	375	
Moules farcies aux amandes (p. 208)	4 moules	
Porc Suey à l'orientale (p. 206)	300	

CHAPITRE III

Test
d'auto-évaluation
de son alimentation

Croyez-vous bien vous alimenter?
Pensez-vous consommer suffisamment
de fibres alimentaires?

Faites le test suivant
et jugez si vous consommez les éléments
nutritifs nécessaires à votre organisme...

PRODUITS LAITIERS	Pour une période de 24 heures (incluant les collations)	TOTAL
	Inscrivez ici le nombre de portions consommées	

Recommandations:	*Les quantités suivantes équivalent à une portion de lait:*		
Adulte: *2 portions par jour*			
Adolescent et femme enceinte: *3 à 4 portions par jour*	250 ml de lait	.... x 10	....
	125 ml de lait	.... x 5	....
	175 g de yogourt	.... x 10	....
	125 g de yogourt	.... x 5	....
Les produits laitiers sont une bonne source de résidu mais ne contiennent pas de fibres alimentaires.	125 ml de dessert au lait	.... x 5	....
	125 ml de yogourt glacé	.... x 5	....
	125 ml de crème glacée	.... x 5	....
	200 ml de potage au lait	.... x 5	....
	1 cube de 45 g de fromage ferme	.... x 5	....
	1 tranche de fromage fondu	.... x 5	....
	TOTAL RÉEL		....
	Boni de 5 points pour yogourt .... x 5		
	TOTAL AVEC BONI		....
	N'inscrivez pas plus de 20 points		
	TOTAL		
			(1)

VIANDES ET SUBSTITUTS	Pour une période de 24 heures (incluant les collations) Inscrivez ici le nombre de portions consommées	TOTAL	FIBRES (grammes)
Recommandations:	*Les quantités suivantes équivalent à une portion:*		
2 portions par jour de:			
60 à 90 g de viande, volaille, abat, poisson, maigre	1 portion de viande ou volaille .... x 5	....	
	1 portion de poisson .... x 10	....	
ou			
60 ml de beurre d'arachide	60 ml de beurre d'arachide .... x 10	....	5
ou	250 ml de légumineuses cuites .... x 10	....	8
250 ml de légumineuses cuites	60 g de fromage .... x 5	....	
ou	2 oeufs .... x 5	....	
60 g de fromage ferme	80 ml à 250 ml de noix ou de graines .... x 10	....	4
ou			
80 ml à 250 ml de noix ou de graines (selon la variété)	**TOTAL RÉEL**	....	....
ou		**+**	
2 oeufs	*Boni de 5 points pour* légumineuses .... x 5		
Seuls le beurre d'arachide, les légumineuses, les noix et les graines contiennent des fibres alimentaires.	**TOTAL AVEC BONI**	....	
	N'inscrivez pas plus de 25 points		
	TOTAL		
		(2)	

	Pour une période de 24 heures (incluant les collations)		
FRUITS ET LÉGUMES	Inscrivez ici le nombre de portions consommées	TOTAL	FIBRES (grammes)
Recommandations: *4 à 5 portions par jour de* fruits et de légumes incluant au moins 2 portions de légumes.	*Les quantités suivantes équivalent à une portion:*		
	1 fruit citrin .... x 5	....	2
	1 fruit frais avec pelure .... x 5	....	2
	125 ml de fruits séchés, cuits .... x 5	....	8
	250 ml de légumes feuillus .... x 5	....	2
	125 ml de légumes cuits .... x 5	....	2
	(une seule pomme de terre peut être comptée)		
Les fruits et les légumes comptent parmi les bonnes sources de fibres alimentaires.	**TOTAL RÉEL**	....	....
	Boni de 5 points pour un légume vert foncé cru ou cuit ou pour fruit séché .... x 5	+	
	TOTAL AVEC BONI	....	
	N'inscrivez pas plus de 25 points		
	TOTAL		
		(3)	

	Pour une période de 24 heures (incluant les collations)		
PRODUITS CÉRÉALIERS	Inscrivez ici le nombre de portions consommées	TOTAL	FIBRES (grammes)
Recommandations:	*Les quantités suivantes équivalent à une portion:*		
3 à 5 portions par jour	50 ml de son (100%) .... x 5	....	12
	1 tranche de pain de blé entier .... x 5	....	2
	1 petit pain de blé entier .... x 5	....	2
Les produits céréaliers à grains entiers contiennent plus de fibres alimentaires et sont plus complets que les autres.	1 tranche de pain blanc enrichi en fibres .... x 5	....	1
	1 muffin au son .... x 5	....	2
	125 ml de céréale cuite .... x 5	....	2
	250 ml de céréale à grains entiers prête à servir .... x 5	....	4
	125 ml de riz brun cuit .... x 5	....	1
	200 ml de pâtes alimentaires cuites enrichies en fibres .... x 5	....	1
	4 biscuits à grains entiers ou enrichis en fibres .... x 5	....	2
	TOTAL RÉEL	....	....
	Boni de 5 points pour du son ou une céréale à grains entiers .... x 5	+	
	TOTAL AVEC BONI	....	
	N'inscrivez pas plus de 25 points		
	TOTAL		
		(4)	

	Pour une période de 24 heures (à tous les moments de la journée)	
LIQUIDES	Inscrivez ici le nombre de portions consommées	TOTAL

Recommandations:	*Les quantités suivantes équivalent à une portion:*		
1,5 litre par jour	250 ml d'eau	.... x 1	....
	250 ml de thé	.... x 1	....
Les liquides sous toutes les formes jouent un rôle important dans la digestion, la circulation et l'excrétion.	250 ml de café	.... x 1	....
	200 ml de jus	.... x 1	....
	250 ml de lait	.... x 1	....
Ils ne contiennent pas de fibres alimentaires mais servent à dissoudre les vitamines et les minéraux et à les distribuer dans tout l'organisme.	250 ml de tisane	.... x 1	....
	200 ml de soupe	.... x 1	....
	200 ml d'une autre boisson	.... x 1	....
	TOTAL RÉEL		....
	N'inscrivez pas plus de 5 points		
	TOTAL		
			(5)

Résumé des résultats

Groupes d'aliments	Résultats obtenus	Performance maximale	Quantité de fibres	Interprétation des résultats
(1) Produits laitiers		20		Pour évaluer la qualité de son alimentation :
(2) Viandes et substituts		25		90 - 100 : excellent
(3) Fruits et légumes		25		80 - 90 : tres bien
(4) Produits céréaliers		25		70 - 80 : bien
(5) Liquides		5		70 et moins : insuffisant
GRAND TOTAL		100		
Pénalités :				*Pour juger de sa consommation en fibres :*
A. *Soustraire 10 points* pour chaque repas omis	—			40 - 50 g : excellent
				30 - 50 g : très bien
				20 - 30 g : bien
				moins de 20 g : insuffisant
B. *Soustraire 5 points* pour un excès de gras, de sucre, d'alcool ou de boisson stimulantes	—			Excès de gras : plus de 45 ml (3 c. à soupe) : fritures, croustilles, etc.
				Excès de sucre : plus de 10 ml dans les boissons ; plus de 2 pâtisseries ou bonbons.
				Excès de boissons : plus de 3 consommations de café, thé, chocolat, boissons gazeuses et alcool.
GRAND TOTAL FINAL				

Grille d'évaluation de sa consommation quotidienne en fibres alimentaires

Si vous êtes intéressés à vérifier périodiquement vos progrès, cette grille vous permettra d'évaluer vous-mêmes votre consommation en fibres.

Il suffit d'indiquer l'aliment consommé, d'en déterminer la quantité approximative et de consulter les listes d'échanges pour connaître la quantité de fibres qu'il contient. Le total de la journée vous renseignera sur l'apport en fibres de votre menu.

NOTE

Nous recommandons de faire des photocopies de la grille afin de pouvoir réévaluer périodiquement votre alimentation et ainsi juger des corrections à y apporter s'il y a lieu.

*De saines habitudes alimentaires
c'est un trésor à cultiver chaque
jour de la vie!*

Grille d'évaluation de sa consommation quotidienne en fibres alimentaires

PETIT DÉJEUNER	Aliments choisis	Quantité consommée	Fibres (grammes)
1. Produits céréaliers: céréale son pain 2. Fruits: 3. Noix ou graines: 4. Autres:			
COLLATION	Aliments choisis	Quantité consommée	Fibres (grammes)
1. Produits céréaliers: 2. Fruits: 3. Légumes: 4. Noix ou graines: 5. Autres:			
DÎNER ou LUNCH	Aliments choisis	Quantité consommée	Fibres (grammes)
1. Potage avec fibres: 2. Mets principal avec fibres ou (recette calculée) 3. Légumes: 4. Légumineuses: 5. Produits céréaliers: pain, muffin, biscottes à grains entiers ou biscuits 6. Fruits: 7. Noix ou graines: 8. Autres: (dessert calculé)			

Grille d'évaluation de sa consommation quotidienne en fibres alimentaires (suite)

COLLATION	Aliments choisis	Quantité consommée	Fibres (grammes)
1. Produits céréaliers: 2. Fruits: 3. Légumes: 4. Noix ou graines: 5. Autres:			

SOUPER	Aliments choisis	Quantité consommée	Fibres (grammes)
1. Potage ou jus avec fibres (recette): 2. Mets principal avec fibres ou (recette calculée): 3. Légumes: 4. Légumineuses: 5. Produits céréaliers: pain, muffin, biscottes à grains entiers ou biscuits 6. Fruits: 7. Noix ou graines: 8. Autres: (dessert calculé)			

Grille d'évaluation de sa consommation quotidienne en fibres alimentaires (suite)

COLLATION	Aliments choisis	Quantité consommée	Fibres (grammes)
1. Produits céréaliers : 2. Fruits : 3. Légumes : 4. Noix ou graines : 5. Autres :			
RECETTES «BONI» (voir recettes)			
	TOTAL :		

NOTE :

— Avez-vous consommé des produits laitiers aujourd'hui ?

Si oui, lesquels : _____

_____

— Quelle quantité de liquide pensez-vous avoir pris durant les vingt-quatre dernières heures ?

Réponse : _____

Sous quelle forme ? _____

— Êtes-vous satisfait(e) de votre alimentation ? _____

FIBRES — TEST

Voici *30 énoncés* sur les fibres alimentaires: évaluez vos connaissances actuelles en matière de fibres en répondant par *VRAI* ou *FAUX*. Les réponses contiennent des informations essentielles à une saine alimentation.

	VRAI	FAUX
1. Les fibres constituent la structure rigide des plantes.	☐	☐
2. La pectine est une sorte de fibres particulièrement efficace pour abaisser le taux de cholestérol sanguin.	☐	☐
3. Toutes les formes de fibres accroissent le volume des selles et favorisent une évacuation facile.	☐	☐
4. Les fibres alimentaires sont moins importantes que les autres éléments nutritifs.	☐	☐
5. Le son entier contient la même qualité de fibres que les céréales de blé entier.	☐	☐
6. Toutes les céréales à grains entiers sont d'excellentes sources de fibres alimentaires.	☐	☐
7. Les petits pois et les framboises comptent parmi les légumes et les fruits les plus riches en fibres tendres.	☐	☐
8. Toutes les fibres occupent peu de volume dans l'estomac et y séjournent moins longtemps.	☐	☐
9. Le jus de pruneaux est un laxatif doux et naturel.	☐	☐
10. Les noix et les graines contiennent plus de fibres que les légumineuses.	☐	☐
11. La cuisson ramollit et brise l'enveloppe des fibres de la plante.	☐	☐
12. L'apport optimal en fibres du menu quotidien peut se situer entre 30 et 60 grammes.	☐	☐
13. Notre organisme a besoin des fibres tous les jours.	☐	☐
14. L'eau joue un rôle capital dans la régularité de l'intestin.	☐	☐
15. Toutes les sortes de fibres combattent efficacement la constipation et la diarrhée.	☐	☐
16. La pectine et les mucilages sont excellents pour ralentir la vitesse d'absorption du sucre dans le sang.	☐	☐
17. Le son n'est pas irritant pour l'intestin.	☐	☐

18. Les fruits séchés contiennent plus de fibres que les fruits frais. ☐ ☐

19. Les fibres ne préviennent pas la carie dentaire. ☐ ☐

20. La carotte peut absorber plus de vingt fois son poids d'eau grâce à sa teneur en pectine. ☐ ☐

21. De toutes les fibres, la cellulose est la plus efficace pour augmenter le poids des selles. ☐ ☐

22. Les fruits citrins renferment beaucoup de pectine. ☐ ☐

23. La quantité de lignine augmente avec l'âge de la plante. ☐ ☐

24. Tout comme les légumineuses, le son peut causer de la flatulence si consommé en grande quantité. ☐ ☐

25. Le chocolat et le cacao fournissent environ 43% de fibres. ☐ ☐

26. Tous les aliments contenant une teneur équivalente en fibres sont interchangeables dans le même repas. ☐ ☐

27. La régularité dans les repas est primordiale au bon fonctionnement de l'intestin. ☐ ☐

28. Les légumes feuillus fournissent plus de fibres que tous les autres légumes frais. ☐ ☐

29. Dans une alimentation riche en fibres, il est essentiel de consommer à chaque repas tous les groupes d'aliments. ☐ ☐

30. Toutes les formes de fibres alimentaires possèdent des propriétés identiques dans l'organisme. ☐ ☐

Évaluation des résultats :

— Comparez vos réponses avec celles qui suivent.
— Comptez un point chaque fois que votre choix correspond à celui indiqué.
— Faites le total des points obtenus et évaluez où se situe le degré de vos connaissances sur le sujet.

PLUS DE 25 POINTS :
Bonnes connaissances :
Bravo! En matière de fibres, vous êtes sur la bonne voie et vous savez ce qui est bon pour vous. Continuez à progresser et à parfaire votre acquis. Ce volume vous en offre l'occasion.

ENTRE 15 ET 25 POINTS:
Bien informé(e):
Vous faites de bons efforts pour vous tenir au courant. Vos connaissances sont superficielles et demande à être approfondies. Persévérez dans votre recherche de la vérité grâce à ce volume qui complète ce qui vous manque.

MOINS DE 15 POINTS:
Manque d'information:
Vous avez grand besoin d'information sur le sujet; malgré tout, rien n'est perdu, puisque vous avez choisi ce volume pour vous renseigner. Bravo pour votre initiative et votre bonne volonté. Avoir répondu à ce test est pour vous le premier pas vers la connaissance.

RÉPONSES DU TEST:

1. Vrai
2. Vrai
3. Vrai
4. Faux
5. Faux
6. Vrai
7. Vrai
8. Faux
9. Vrai
10. Faux
11. Vrai
12. Vrai
13. Vrai
14. Vrai
15. Faux
16. Vrai
17. Faux
18. Vrai
19. Faux
20. Vrai
21. Faux
22. Vrai
23. Vrai
24. Vrai
25. Vrai
26. Faux
27. Vrai
28. Faux
29. Vrai
30. Faux

CHAPITRE IV

Le panier à provisions : un guide d'achats réfléchis

Une bonne santé, c'est une sensation de bien-être physique, psychologique et émotionnel. Des aliments sains et diversifiés jouent un rôle primordial sur votre apparence — la peau, les yeux, les dents, les cheveux et sur votre personnalité — vitalité, capacité de travail, sérénité et même sur votre manière d'envisager la vie en général.

Même si les habitudes alimentaires se prennent dès le berceau, il n'est jamais trop tard pour apprendre à bien se nourrir. Les bons repas ne sont pas le fruit du hasard. Ils sont le résultat d'une planification soignée, minutieuse et éclairée, basée sur la connaissance des produits que l'on achète. *Le guide alimentaire canadien* peut vous aider à choisir avec discernement et à acheter sans gaspillage les quantités d'aliments dont votre organisme a besoin tous les jours. Les divers groupes d'aliments forment une sorte de casse-tête dont il faut assembler tous les morceaux pour obtenir une alimentation parfaite. Il est difficile d'être bien nourri si certains groupes en sont absents tout comme on ne peut espérer compléter un casse-tête si certains morceaux manquent.

Réussir un bon panier à provisions peut vous apparaître aussi un véritable problème. On ne devient pas consommateurs avisés du jour au lendemain. C'est un art qui s'apprend et qui demande une attention vigilante. Mais il est gratifiant de savoir repérer les achats avantageux pour tirer le meilleur parti de son argent et rapporter chez soi des sacs d'épicerie débordants de bonnes denrées fraîches et fibrement nutritives.

Comment peut-on réunir tous les éléments nutritifs et les meilleures sources de fibres alimentaires dans le même panier ? Comment réaliser, du même coup, les meilleures économies ? C'est très simple si l'on choisit d'abord les aliments recommandés dans chaque famille et que l'on prend note des quantités à consommer quotidiennement. L'étape suivante consiste à mettre en pratique les recommandations du *Guide alimentaire* tout en respectant votre budget. Vous pouvez épargner sans sacrifier pour autant la qualité des aliments.

Planifiez votre marché! Avant de vous rendre au magasin, préparez-vous! Vos meilleurs auxiliaires sont un plan sommaire des menus de la semaine et une liste d'achats. Inspirez-vous des aliments suggérés dans chacun des groupes de base, et inscrivez les ingrédients nécessaires après vérification de vos réserves. Dressez votre liste d'épicerie dès que les réclames publicitaires vous parviennent ou sont publiées dans les journaux. Laissez-la en évidence pour y noter au fur et à mesure les denrées qui s'épuisent.

C'est une excellente idée de conserver une liste des prix courants des produits pour reconnaître une véritable aubaine d'une simple mise en vedette. Personne n'est à l'abri des achats impulsifs et votre planification prudente vous en préservera. Méfiez-vous des ruses publicitaires telles que coupons de réduction et étalage spectaculaire qui peuvent cacher la vraie valeur des produits. N'hésitez donc pas à apporter votre calculatrice pour comparer le prix à l'unité ou par portion des aliments. Très souvent, le nombre de portions est indiqué sur l'étiquette et vous n'avez qu'une division à effectuer. En achetant seulement la quantité d'aliments nécessaires, vous diminuez les restes et, qui ne gaspille pas s'enrichit: vous pourrez donc vous permettre plus de variétés dans vos menus.

Cependant, faire des achats judicieux ne se limite pas au seul critère de l'économie. Il faut aussi reconnaître les mots clés et comprendre les renseignements concernant la composition des produits énumérés sur les contenants. Les informations fournies par le fabricant demandent à être vérifiées si vous voulez acheter des aliments d'excellente qualité. Une étiquette est inutile si elle n'est pas lue! Que révèle-t-elle? Une foule de choses dont, parmi les plus importantes, les ingrédients en ordre décroissant des proportions, les catégories de qualité, la quantité nette du produit, la date de péremption ou date limite de conservation quand le contenant n'est pas ouvert et, même si ce n'est pas encore obligatoire, la valeur nutritive par 100 g de produit et très souvent par portion (seuls certains producteurs inscrivent cette donnée sur l'étiquette).

Interrogez-vous aussi sur la pertinence des additifs dans les aliments transformés. Évitez, autant que possible, les produits surchargés d'additifs qui n'ont pas toujours leur raison d'être. Dépistez les sucres, les sels ou les graisses déguisés sous des noms comme glucose, saccharose, benzoate de sodium, bromate de potassium, mono et diglycérides, etc. N'oubliez pas que vous avez plein pouvoir pour exiger moins de substances chimiques synthétiques dans vos aliments. D'ailleurs, n'est-ce pas sous la pression des consommateurs que nous avons aujourd'hui des purées pour bébé avec moins de sucre et sans sel ajouté? Accepterez-vous encore longtemps les colorants artificiels? Les trop nombreux agents de conservation? L'industrie alimentaire est là pour répondre aux besoins des clients et non l'inverse. Choisir des denrées transformées sur les mérites des ingrédients qu'ils renferment n'est pas souvent chose facile, tout au moins en être conscient aidera à éviter le piège du panier à provisions trop sucré, trop salé ou trop gras.

De la naissance à l'âge d'or, la famille des produits laitiers est d'une richesse incontestable et essentielle. Leurs atouts gustatif et nutritif sont hors pair. Réservez une place privilégiée aux laits acidifiés tels le lait de beurre, la crème sure et le yogourt qui font des miracles dans vos recettes et dans votre organisme. Choisissez les produits à faible teneur en gras et en sucre. Aromatisez vous-même le yogourt ou le fromage cottage avec des fruits frais ou séchés. Remplacez la mayonnaise et les sauces à salade par du yogourt nature assaisonné à votre goût. Avez-vous déjà essayé le yogourt glacé fondant et moelleux? L'essayer c'est l'adopter. Pour une sauce-trempette, la crème sure agrémentée de légumes finement hachés et d'épices n'a pas son pareil: voilà autant d'aubaines pour votre portefeuille et votre santé. Avec un peu d'imagination les usages des produits laitiers sont quasi illimités.

Les membres de la famille des protéines végétales et animales occupent toujours une grande partie du budget alimentaire. La viande est sans contredit l'aliment le plus dispendieux et il faut savoir profiter des spéciaux avantageux hebdomadaires. À noter que les abats comme le foie ou les rognons sont souvent meilleur marché et plus maigres que certaines autres viandes. Les protéines du poisson, de la volaille, des oeufs et des produits laitiers sont de même qualité que celles du steak de boeuf et coûtent moins cher. Les aliments de ce groupe vous aident a vous garder en forme.

Il est réconfortant de savoir qu'il n'est pas nécessaire de manger de la viande à chaque repas et à chaque jour. Ne mettez pas tous vos oeufs dans le même panier. Épargnez en achetant des protéines végétales peu coûteuses, abondantes en fibres alimentaires alors que les protéines animales en sont totalement dépourvues. Ne vous y trompez pas: la partie filandreuse de certaines viandes n'est pas une fibre alimentaire et ne possède pas du tout les mêmes propriétés. Seuls les légumineuses, les légumes, les fruits, les noix et les graines renferment les fibres végétales bienfaisantes. Un autre avantage à leur actif est leur faible teneur en graisse et en cholestérol. Quand la qualité de leurs protéines est complétée par celles des groupes des céréales et des produits laitiers, ils suffisent amplement pour vos besoins quotidiens.

Alors donnez-leur priorité dans votre budget et servez des plats de résistance combinés pour mieux les faire accepter. Associez-les avec d'autres aliments favoris comme le «macaroni et haricots rouges au four», le «chili con carne», à base de boeuf haché ou la «soupe crème de haricots» qui allie produits laitiers et légumineuses. Glissez-en subtilement dans les salades, dans les poivrons ou les choux farcis, les croquettes, etc. Leurs usages sont multiples et les économies que vous réaliserez vous permettront d'acheter certains aliments qui sur le coup vous paraissent dispendieux tels les fromages fins, les noix ou encore les fruits séchés.

À l'opposé de la viande et des produits laitiers, les noix et les graines contiennent des protéines incomplètes mais sont, par contre, d'excellentes sources de fibres. Pour vous garantir de toute déficience, compensez les faiblesses de ces dernières par la richesse des céréales, des légumineuses ou encore par celle des produits laitiers.

Ainsi dans le même repas, agencez-les d'une des façons suivantes:
— arachides + lait (ex.: soupe aux arachides)
— riz + graines (ex.: riz brun au sésame et tournesol)
— haricot + blé (ex.: fèves au lard et pain de blé entier)
— lentilles + noix (ex.: croquettes de lentilles et sauce aux noix)
— soya + graines + fromage (ex.: salade de soya et de sésame avec fromage)

Les possibilités de combinaison sont infinies, l'important est de les prendre ensemble dans le même repas et très souvent, il est facile de les trouver toutes dans un seul plat de résistance.

Il est bon de se rappeler que certaines noix contiennent beaucoup de calories par rapport au taux de protéines. Mais, ne les éliminez pas pour autant. Utilisez-les avec parcimonie pour rehausser tous vos mets. Cependant, à toutes fins utiles, les arachides naturelles et les graines demeurent le meilleur achat. Et, contrairement à ce que l'on pourrait croire, presque toutes les noix dans l'écale sont plus économiques que les autres formes. Seule la noix de coco, pauvre en protéines, ne peut être considérée comme un substitut du groupe des viandes.

Vous venez d'ajouter des boni-nutrition dans votre panier et des dollars dans votre bourse grâce aux protéines végétales: 250 ml de légumineuses cuites, 125 ml de noix et de graines, 80 ml d'arachides écalées sont des exemples d'une portion équivalant environ à 60 g de viande. Allez-y gaiement et hop! au panier! Il faut bien l'admettre cette famille d'aliments est responsable de votre forme physique et mentale dès le saut du lit. Votre mine et votre entrain reposent sur le fait que vous avez pris ou non un solide petit déjeuner. Alors, place aux noix et aux graines dans votre céréale, au beurre d'arachide non salé, sans sucre ajouté sur votre pain et éliminez le beurre ou les confitures qui feront gargouiller votre estomac dès le milieu de la matinée. Le fromage et le beurre d'arachide forment d'heureux compagnons en tout temps!

Les fruits et les légumes, les favoris des fibres tendres, bourrés de vitamines et de minéraux, jouent un rôle important dans l'équilibre du système digestif et du coeur. Cette riche famille, pauvre en calories, n'est pas appréciée à sa juste valeur et il est rare de voir un panier à provisions abondamment rempli de fruits et de légumes frais. Pourquoi les bouder? Libérez le panier des boissons gazeuses, des grignotines, des desserts surgelés ou autres remplis de calories sournoises et profitez des aubaines que les saisons amènent. Redonnez couleur, croquant et variété à vos menus.

Les fruits et les légumes crus sont une bénédiction pour la santé, la taille et le budget! Calculez au moins deux portions de fruits et deux de légumes par personne chaque jour. N'hésitez pas à essayer les fruits exotiques ou les légumes plus rares que vous ne connaissez pas. Donnez-leur une chance à votre table. Très souvent, le supermarché vous suggère une recette sur la façon de les apprêter. Les algues légères et gonflantes font partie de la nouvelle vague cuisine-santé; de même les rambouton, mangouste et kaki se font de plus en plus populaires aux étalages des fruits... laissez-vous tenter et mangez plus créativement.

Le prix des fruits et des légumes frais est habituellement plus bas en saison et leur qualité supérieure. Lorsque vous comparez le prix des légumes frais à celui des légumes transformés, n'oubliez pas que vous payez aussi pour les parties non comestibles des légumes frais. Le pourcentage de pertes peut varier de 20% pour les épinards, à 50% pour le chou-fleur et jusqu'à 62% pour les petits pois. C'est pourquoi vous évitez d'engraisser inutilement la poubelle, si vous recyclez les débris et les restes de légumes flétris dans un bouillon de légumes assaisonné que vous emploierez comme base de soupe ou de sauce. Les fruits trop mûrs cuits avec un peu de miel servent de compote ou de sauce pour les gâteaux. Mangez les pelures si possible ou pelez les légumes mince après la cuisson car une grande partie des nutriments est collée à la peau du fruit ou du légume.

En faisant vos emplettes, faites ample provision d'agrumes, une autre grande famille diversifiée et pratique. Ces fruits représentent nos meilleures sources de vitamine C et de pectine. Ils sont disponibles douze mois par année, les variétés se succédant selon les saisons. La nature fait bien les choses puisque l'hiver, ils remplacent plusieurs petits fruits comme source importante de vitamine C et de fibres. Il faudrait même manger la pelure ou gratter et inclure la pulpe blanche qui abonde en pectine et en minéraux. Conservez tout au moins les pelures pour en faire du zeste qui remplacera les essences artificielles dans vos recettes. Il se garde plusieurs semaines au congélateur.

Attention si vous les transformez en jus! Sachez que vous venez de perdre la presque totalité des fibres et environ 10% des nutriments qui vont dans la poubelle. La perte est encore plus grande quand vous décidez d'extraire le jus de la pomme ou des raisins dans votre extracteur à jus. En moyenne, la plupart des fruits renferment 85% d'eau, vous en récupérez 60% en jus et 25% sont des débris de pulpe remplis de fibres et autres éléments nutritifs. Ce sont des déchets plutôt nourrissants n'est-ce pas? La même chose se produit avec les carottes: 1 kg de carottes donne 550 g de pulpe fibreuse irrécupérable. Préférez-vous boire ou mastiquer? Sans compter que mastiquer aide à la digestion des aliments. Faites vos jus si vous y tenez, c'est uniquement une question de goût... indiscutable.

Un dernier conseil d'achat en ce qui a trait aux agrumes concerne leur grosseur et leur rendement en chair et en jus. Plus le calibre est gros, plus le fruit est gros et le rendement élevé: vous en avez plus pour votre argent. Soupesez-les, ils doivent être lourds pour leur grosseur, ceci est un indice sûr de leur rendement en jus. Le même principe s'applique aux légumes qui renferment beaucoup d'eau tels les laitues, les choux, les courges, les tomates, etc. Ne craignez pas d'être vus en comparant, de cette façon, la masse des aliments que vous achetez: c'est à ce geste que l'on reconnaît les consommateurs avertis, vous verrez on vous imitera.

Comme la mode du naturel revient au galop, les jardins se multiplient et les produits qui vont de votre potager à la table ne coûtent presque rien sinon vos efforts et votre patience. Tout le monde souhaite secrètement posséder un jardin «gastronome» à longueur d'année et produire des légumes qu'on trouve rarement dans les potagers habituels. Il est possible de cultiver en pots sur le balcon beaucoup de légumes dont l'épinard, la mâche, l'endive, des légumineuses fraîches plutôt que de se contenter des sèches et avoir dans sa cuisine à la portée de la main, les meilleures fines herbes qu'il soit possible de se procurer. La visite au supermarché sera moins longue et plus enrichissante.

Aux beaux jours de mai jusqu'au début de juin avant l'apparition des fleurs, les jeunes feuilles de pissenlit attendent que vous les cueilliez pour les incorporer dans vos salades. Si elles sont une disgrâce dans votre gazon, elles sont délicieusement amères et rafraîchissantes dans votre assiette. Comparé à la laitue, le pissenlit fournit deux fois plus de fibres et dix fois plus de vitamine A. Il contient autant de vitamine C qu'une belle tomate. Mariez-le avec des amandes et de la mâche et vous obtiendrez une salade «fibrement» raffinée. Même les jeunes boutons floraux non ouverts peuvent se mariner à l'aneth ou à l'estragon comme des câpres ou des boutons de capucine.

Si vous êtes à la recherche des ressources inépuisables des plantes sauvages, vous serez heureux d'apprendre qu'il existe des ouvrages spécialisés dans la préparation culinaire des prétendues mauvaises herbes pourtant bien bonnes à manger. Vous serez intrigués par des recettes comme les «fougères à l'autruche», les «coeurs de quenouille», les «croustilles de trèfle» ou les «canapés de marguerite». Faites une visite à votre libraire et dénichez ces petites merveilles. Vous ferez un pas de plus vers la conversion aux aliments sains et nutritifs. Mangez donc plus de fruits et de légumes, mangez plus économiquement et surtout plus intelligemment.

On estime que depuis le début du siècle, l'ingestion de fibres sous forme de céréales est tombée à un dixième de ce qu'elle était avant 1870. En outre, la consommation de pain a baissé de près des deux tiers. En revanche, la consommation de céréales de son a repris depuis quelques années à mesure que la population reprenait conscience du rôle des fibres dans la santé.

Dès que le grain de blé passe à la minoterie, la partie réservée à l'alimentation humaine est, sous certains aspects, moins nutritive que celle donnée aux animaux. Les produits céréaliers représentent environ 18% des calories de notre régime quotidien. Le blé se classe sur un pied d'égalité avec les trois autres sources majeures de calories, soit les viandes, les graisses et les sucres. Ensemble ces quatre sources alimentaires sont responsables de 75% de notre énergie. Leur consommation régulière sans l'apport d'aliments équilibrants comme les fruits, les légumes, les légumineuses, les noix et les graines peut tout aussi bien conduire à la malnutrition tout comme le fait une alimentation exclusivement basée sur les céréales.

La famille des produits céréaliers constitue nos meilleures sources d'hémicellulose et de cellulose si efficaces pour assurer la régularité de nos fonctions intestinales sans mentionner ses protéines et ses glucides complexes qui nous fournissent de l'énergie et de la vitalité facilement et rapidement accessibles. Rappelons que leur valeur nutritive est très grande et digne de mention. En termes de pourcentage, les céréales sèches renferment en moyenne: 10 à 14% d'eau, 12 à 14% de protéines incomplètes, 65 à 78% d'amidon complexe, 2% de lipides et de 1 à 2% de vitamines et de minéraux.

Cependant dans chaque grain, les éléments nutritifs ne sont pas également répartis. C'est le son qui contient la presque totalité des fibres et tous les principaux minéraux et vitamines du grain. Il lui manque les protéines, l'amidon et les lipides et n'est donc pas une céréale à grains entiers. C'est l'amande ou la partie centrale du grain qui détient 75% du total des protéines et de l'amidon disponibles. Quant au germe, l'ébauche d'un nouveau grain, il constitue la réserve en gras et apporte quelques vitamines dont celles du complexe B et E. Une céréale à grains entiers est celle qui conserve toutes les parties du grain.

Toutes les céréales raffinées, c'est-à-dire dépourvues de son et de germe, sont à nouveau enrichies en germe de blé, en fer et en vitamines B. Mais à certaines d'entre elles il manque toujours les fibres du son, certains minéraux et certaines vitamines dont le calcium, le potassium, le magnésium et la vitamine B_6 irrémédiablement perdus. On paie bien cher un enrichissement incomplet! Certaines céréales à grains entiers sont elles aussi vendues enrichies; non pas parce qu'elles ont perdu ces nutriments en cours de transformation mais seulement parce que le fabricant a voulu augmenter davantage leur valeur nutritive par rapport aux céréales raffinées (qui peuvent contenir de 6 à 10 nutriments ajoutés) pour mousser leurs ventes.

Un autre point important à considérer est que toutes les céréales incluant celles à grains entiers ont été mises au point pour être consommées avec du lait pour fournir la valeur nutritive indiquée sur les boîtes. Cette contribution du lait est essentielle et constante puisque dans 94% des cas, les gens mangent leur céréale avec du lait. En effet, la composition nutritive de 28 g de céréales sèches, l'équivalent d'une portion, complète celle contenue dans 125 ml de lait. Les céréales et le lait sont deux champions vous assurant l'équilibre nutritif nécessaire pour bien débuter la journée. Ils sont particulièrement indiqués pour les enfants qui préparent eux-mêmes leur petit déjeuner ou pour les lève-tard qui prennent une bouchée sur le pouce sans prendre le temps de s'asseoir.

Le meilleur bonjour matinal peut donc être votre bol de céréales à condition de la bien choisir. Chaque bouchée devrait être croquante de fibre et non de sucre! Vous êtes-vous déjà arrêtés devant le vaste étalage des boîtes de céréales ou achetez-vous toujours la même variété depuis des années, par simple routine? Connaissez-vous au moins le contenu de votre céréale préférée? S'il est un domaine où le fouillis est total, c'est bien celui-là et, pour faire des achats judicieux, il faut réfléchir davantage et lire sur le côté des boîtes les renseignements inscrits à votre intention expresse.

Dans un sens nous sommes choyés aujourd'hui puisque les variétés sont si multiples que nous pouvons changer de sorte toutes les semaines. La gamme des saveurs, des textures, des couleurs et des formes ajoute intérêt et appétence au repas du matin ou à la collation. Reste à savoir lesquelles représentent le meilleur rapport élément nutritif / fibre. Nous avons affaire à un véritable marché de manipulation dû à la publicité qui s'attaque à la plus vulnérable des clientèles: les enfants qui s'acharnent ensuite auprès des parents pour obtenir les friandises déguisées en céréales sous des noms accrocheurs et familiers.

Heureusement pour nous, les céréales sucrées sont enfin démasquées mais quelle maman ne succombe pas au chantage des enfants occasionnellement. La preuve est qu'elles figurent bel et bien sur les tablettes et donc trouvent toujours acquéreur. Notez bien qu'elles contiennent jusqu'à 56% de leur poids en sucre et que leur prix est presque prohibitif. Malgré l'enrichissement, leur valeur en fibres alimentaires est à peu près nulle (0,5 g par portion). Comparez la somme des sucres totaux par 100 g ou par portion avec une autre céréale complète, sans sucre ajouté, et le choix s'imposera de lui-même : là où il y a beaucoup de sucre, il reste peu de place aux fibres.

Les sondages stipulent que la consommation moyenne journalière de sucre serait de 84 g par personne. Avez-vous réalisé que si ce sucre ingéré sans effort ni mastication était pris sous forme de pommes par exemple, il faudrait en manger au moins six par jour pour égaler cette quantité ? Pas étonnant que le niveau de calories grimpe quand on prend autant de sucre sous forme cachée dans les produits raffinés sans fibre !

Il n'y a pas foule dans le groupe des céréales fibrement peu sucrées : les céréales de son entier à 100% connaissent une vogue grandissante et justifiée. Néanmoins, une mise en garde est nécessaire pour le son naturel cru vendu en vrac. Il a plus de possibilité que le son cuit en boite d'être contaminé et de produire des effets indésirables dans le système gastro-intestinal. Ce dernier est plus sain et ses qualités organoleptiques sont supérieures à celles du son brut : il est plus savoureux et plus croustillant.

Le blé n'est plus la seule source de son. Depuis peu, le son de maïs vient lui disputer les honneurs. Vous pouvez vous en régaler sous forme de céréale chaude instantanée ou prête à servir. Elle offre 45% plus de fibres que toutes autres céréales de son en flocons du genre Pep ou Bran Flakes et presque deux fois plus que le Raisin Bran : des classiques parmi les céréales de son de blé.

Les céréales à cuisson longue tendent à réapparaître sur le marché. Le blé concassé, le bulgur, l'avoine en gros flocons ou en farine grossière, le sarrasin ou le seigle trouvent des amateurs de grains entiers non sucrés qui aiment encore préparer leurs propres céréales. Leur version moderne, à cuisson rapide, convient bien au déjeuner-express d'hiver. Mais les grains sont plus minces et réduits, par conséquent l'apport en fibres en est d'autant diminué. Attention aux mélanges parfumés et sucrés qui contiennent jusqu'à 40% de sucre sous forme de cassonade, de miel, de fruits séchés et de noix. Vous pouvez faire mieux en les achetant au naturel et en leur ajoutant seulement des fruits, des noix ou des graines pour beaucoup moins cher.

Une mention spéciale revient aux nouvelles variétés de céréales à servir avec fibres. Elles soulignent toute l'importance que les compagnies accordent aux fibres alimentaires et répondent à coup sûr aux demandes des consommateurs qui recherchent de plus en plus de bonnes fibres. Dorénavant nous voulons que nos aliments rapportent de merveilleux dividendes à notre santé. Ces nouvelles variétés de céréales témoignent toutes d'un bel effort qui mérite l'encouragement. Acheter des céréales croque-fibres, fruits et fibres, müesli, granola ou croque-nature, par exemple, est certes louable. Mais il faut savoir que pour les rendre si bonnes au goût afin que l'on oublie qu'on mange des fibres, les fabricants les ont enrobées de sucre ou de fruits séchés qui augmentent beaucoup leur teneur calorique. Leur valeur fibres / calories est moins bonne que celle des autres céréales naturelles à grains entiers comme le blé filamenté ou le weetabix, par exemple, qui ont conservé leur simplicité d'antan. Il faut reconnaître qu'elles se veulent un compromis intéressant entre les céréales brutes et celles qui sont raffinées et sans fibre. On ne devrait surtout pas les manger saupoudrées de sucre, elles en ont déjà plus que suffisamment.

Quant à toutes les autres variétés sucrées ou non et même enrichies en neuf ou dix nutriments essentiels, elles ne renferment pas des quantités importantes de fibres à moins de leur ajouter quelques cuillerées de son, de fruits séchés, de noix ou de graines avant de les consommer. C'est une excellente façon de redonner aux flocons de maïs, au riz crispé ou au Spécial K, les fibres qui leur font défaut.

Votre prochain achat de céréales pourra être le bon si vous considérez le contenu en fibres et en sucre par portion et si vous calculez le rapport prix-quantité parmi les formats offerts. Donc, prenez le temps de lire et de comparer la valeur nutritive, la masse, le prix, et le choix judicieux s'imposera d'emblée. Si malgré tout, vous êtes embarrassés, vive le gruau d'avoine complet, vous ne vous tromperez pas...

On assiste présentement à une «fibre-manie» contagieuse qui se propage dans tous les produits céréaliers. Il y a un foisonnement jamais encore vu de pâtes alimentaires, de craquelins et biscottes, de pains blancs nutri-fibre et jusqu'à des pitas et des croissants de blé entier ou additionnés de fibres. Et ce n'est qu'un début, l'avenir nous réserve assurément d'autres surprises dans ce domaine. L'industrie se réveille enfin et la technologie alimentaire découvre des moyens d'ajouter non seulement du son mais des fibres végétales diversifiées depuis celles des pois jaunes secs en passant par les fibres d'avoine, le germe de maïs ou de blé jusqu'au sirop de pruneau et le malt provenant de l'orge germée. Que ne ferait-on pas pour redonner aux produits transformés, les éléments qu'ils ont perdus en cours de route, mais aussi que ne ferait-on pas pour satisfaire le goût du blanc purifié des consommateurs qui refusent de se convertir au blé entier et au son. En effet, les fabricants réussissent le tour de force de faire manger plus de fibres tout en conservant aux produits l'aspect habituel que quelques clients recherchent encore.

Cependant ces nouveautés coûtent un peu plus cher sans doute aussi parce que la demande n'est pas encore assez forte. Pourtant les produits de blé entier ont un coût de production inférieur à celui des aliments transformés. Une chose est certaine, nous devons payer l'enrichissement et l'addition des nombreux agents de conservation quand nous achetons du pain commercial. À titre d'exemple, voici la composition comparative de deux pains de blé entier à 100% choisis au hasard.

PAIN DE BLÉ ENTIER À 100% (avec agents de conservation)	PAIN DE BLÉ 100% «MOISSON DORÉE» (moulu à la meule, aucun agent de conservation)
farine de blé entier, eau, sucre brun, saindoux ou huile de palme hydrogénée, gluten de blé, levure, sel, mono et diglycérides, sulfate de calcium, chlorure d'ammonium, phosphate monocalcique, bromate de potassium, lactate de calcium, propionate de calcium	farine de blé entier moulue à la meule, gluten de blé, shortening d'huile végétale (huile de palme), levure, miel, sel, sirop de pruneau soluble, cassonade, acide lactique, bromate de potassium. «Du blé à 100%, du jeune blé printanier moulu à la meule afin d'en conserver les qualités nutritives.» «Il offre toutes les vertus du grain entier... vous fait retrouver le gout du bon pain.»

Comme vous le voyez, même dans la famille des pains de blé entier, la liste des ingrédients diffère tant par la qualité que par la quantité. D'où la nécessité d'apporter une attention et une vigilance constante dans le choix du pain quotidien. Certains boulangers ont déjà préparé spécialement pour vous des pains avec une touche plus naturelle en substituant de la farine de pomme de terre aux agents émulsifiants (mono et diglycérides) et du vinaigre blanc au propionate de calcium comme inhibiteur de moisissures. Voilà un effort qui mérite encouragement.

Quel est le meilleur achat? Il y en a plusieurs si vous vous donnez la peine de lire sur l'enveloppe: qu'il s'agisse de pain de blé entier à 100%, de blé concassé, double-son ou multigrains, recherchez celui qui vous fournit le plus de fibre et le moins d'additifs possible. Méfiez-vous des pains bruns colorés avec de la mélasse ou du caramel et accordez votre préférence à ceux dont la valeur alimentaire est clairement détaillée y compris la teneur en fibres par tranche. Les mots «blé entier

100%», «son entier 100%», «grain entier» ou «nutri-fibre» font généralement bon ménage avec les autres éléments nutritifs. Mais certains producteurs se gardent bien de discuter de la valeur nutritionnelle de leurs pains, et ce n'est que par les demandes insistantes des consommateurs que les boulangers indiqueront ces informations sur leur emballage. Le pain n'est-il pas l'aliment le plus consommé? N'oubliez pas de vérifier la date de fraîcheur inscrite sur l'attache et de comparer aussi le prix, le poids et le nombre de tranches par pain. Après tout, comparer c'est déjà choisir. Achetez son pain à rabais et en faire ample provision est une autre façon d'économiser à condition de les envelopper dans un second emballage. Ils se conserveront pendant un mois au congélateur. Inscrivez la date d'achat des produits afin de les utiliser avant la date limite de conservation. Il est inexcusable de gaspiller des aliments et savoir acheter signifie aussi savoir les utiliser intelligemment.

À peu près tout le monde consomme chaque jour des aliments dépourvus de fibres. Aussi, les suggestions suivantes devraient vous permettre d'enrichir de manière astucieuse votre ration quotidienne de fibres alimentaires: gravez-les dans votre mémoire!

— Dans vos recettes éprouvées, *remplacez* la moitié de la farine blanche par de la farine de blé entier. Assurez-vous de vous procurer la bonne sorte: une farine de blé entier à pâtisserie remplace uniquement une farine blanche à pâtisserie.

— *Faites* votre propre recette de farine complète de la façon suivante: pulvérisez au robot culinaire, 1,5 *l* de farine blanche avec 625 ml de son entier et 125 ml de germe de blé. Entreposez, recouvert hermétiquement, au réfrigérateur. Elle se conservera jusqu'à douze semaines. Attendez qu'elle soit à la température de la pièce avant de l'utiliser.

— *Substituez* aussi à une partie de farine blanche une farine complète autre que celle de blé. Essayez la farine graham, de maïs, de triticale ou encore de sarrasin pour faire vos pains, vos pâtisseries et vos desserts. Toutes sont excellentes et donnent des résultats analogues en cuisine. Vous vous délecterez d'autre chose que des traditionnels mets à base de farine blanche sans goût.

Saviez-vous que les Japonais sont d'importants importateurs de sarrasin québécois? Ils s'en servent même pour faire leurs nouilles et leurs spaghettis alors que chez nous bien des gens pensent que la farine de sarrasin ne sert qu'à faire des galettes! Avec une imagination délurée et surtout de la curiosité, les farines de grains entiers ajoutent des variantes intéressantes et surprenantes à vos plats usuels mais combien gratifiantes quand vient l'heure de les déguster.

— *Incorporez* toujours du son ou de l'avoine régulière et du germe de blé ou de maïs dans vos pains de viande, votre chapelure, vos biscuits, vos muffins, vos pains-éclairs, vos gâteaux, etc. Le son peut remplacer une quantité égale de farine dans vos recettes ou encore il peut prendre la place des noix auxquelles on substituera des fruits séchés coupés finement. Dans les deux cas, vos pâtisseries prendront le parfum de la noisette et la texture croustillante tant recherchée.

— *Enrichissez* votre pâte à crêpes en ajoutant 250 ml de son entier pour chaque 250 ml de pâte et augmentez le liquide de 30 ml ou plus selon la consistance désirée. Le lait de beurre est tout particulièrement recommandé et apprécié pour des galettes pleines de saveur et riches en résidu.

— *Faites* le plus souvent vos croûtes à tarte avec de la farine de blé entier et ajoutez aux ingrédients secs 15 à 45 ml de son par 250 ml de farine blanche.

— *Allongez* la viande hachée avec une céréale à grains entiers ou de son: pour chaque 500 g, utilisez 175 ml de céréales en paillettes ou 375 ml de céréales en flocons et augmentez le liquide de la recette de 30 ml environ. Vous venez d'ajouter près de 2 g de fibres par portion et d'augmenter la valeur de votre dollar. Au lieu d'une recette, avec la même quantité de viande vous pourrez en faire deux!

— *Saupoudrez* vos casseroles, vos salades et vos légumes cuits d'une chapelure croquante faite de céréales à grains entiers écrasées avec 30 ml de beurre fondu pour chaque 250 ml de céréale. Assaisonnez d'ail, de fromage râpé ou d'herbes fraîches: le résultat? Des fibres à chaque bouchée.

— *Employez* le sarrasin à gros grains ou le riz brun et sauvage pour servir comme accompagnement du plat principal. Oubliez un peu le riz blanc ordinaire.

— *Servez* souvent des légumes farcis tels les choux, les poivrons, les feuilles d'endives ou les pois mange-tout d'un bon mélange de poisson à votre façon et liez-le avec du yogourt aromatisé en guise de mayonnaise ou de sauce à salade: un heureux mariage de fibres et de résidu lactique.

— Les salades donnent l'occasion de combiner adroitement fruits et légumes et de rehausser leur apport en fibres avec quelques noix, graines ou germes rafraîchissants.

Seriez-vous surpris d'apprendre que les germes de luzerne, par exemple, contiennent 15% plus de protéines que les céréales de blé, d'avoine ou de maïs? En outre, leur concentration en vitamine C et en riboflavine (vitamine B$_2$) est considérablement plus grande que celle des graines ou des légumes dont ils proviennent. La germination est à la mode et la luzerne est l'une des graines les plus faciles à faire germer à la maison. La plupart des germes vendus sur le marché ou contenus dans les mets chinois sont des germes de luzerne ou de haricots mung (fèves du chop suey) mais vous pouvez vous offrir les mélanges de germes de légumineuses appelés «croque-pousses» ainsi que les délicieux germes de cresson ou de radis. Alors, si ça vous chante, ajoutez-en une poignée dans vos omelettes, vos soupes ou vos jus de légumes. Faites-les rissoler avec des oignons ou de l'ail et assaisonnez de sauce soya naturelle; ils seront un tantinet croustillants comme le céleri. Les germes frais et humides vous laisseront une impression délicieusement désaltérante.

— *Confectionnez* de joyeuses marinades pour accompagner vos plats de viande avec environ 500 g de canneberges ou autres baies acidulées (gadelles, cenelles, pimbinas) et 125 ml de noix et de sucre brun. Déposez les ingrédients dans le robot culinaire, ajoutez une grosse orange non pelée, coupée en quartiers et réduisez en compote juteuse. Vous en avez assez pour remplir quatre pots de 240 ml et offrir des fibres piquantes qui relèveront la douceur de la viande.

— *Choisissez* des confitures de figues fraîches, des marmelades d'abricots ou de fruits citrins à faible teneur en sucre ou les nouvelles «double fruits» réduites en calories. Pour une confiture plus rare mais abondante en fibres douces et aux propriétés laxatives, mélangez de la chair de citrouille séchée à l'air durant 24 heures avec des abricots frais ou d'autres fruits pulpeux en saison et cuisez-les comme toutes les confitures jusqu'à translucidité. Aromatisée avec un peu de jus d'orange, elle devient merveilleusement différente et possède un parfum et un goût corsé qui plaira aux plus capricieux.

— À l'heure de l'apéritif, présentez des dattes, des figues ou des pruneaux farcis de fromage à la crème auquel vous ajouterez des noix hachées ou des raisins secs, ils remplaceront les croustilles habituelles.

— À la collation, croquez des graines de citrouille ou de tournesol que vous faites griller au four; servies chaudes, elles n'en seront que plus tentantes. Croquez-les comme on croque des arachides.

— *Préparez* vos mélanges de granola maison, vos friandises croquantes à partir de céréales complètes, de noix et de graines. Vous trouverez un nombre incalculable de ces recettes dans tout bon livre de nouvelle cuisine-santé. Elles remplaceront, on ne peut mieux, les croquades ou barres-tendres enrobées de chocolat que la publicité cherche à promouvoir auprès de vos enfants.

Bien s'alimenter pour mieux vivre, et être capable de déceler les mythes qui circulent sur les produits alimentaires, est le privilège des personnes intéressées à acquérir les connaissances nécessaires pour ce faire. Ce peut être l'apanage de tous à condition de ressentir le besoin d'être mieux informés. Songez-y, vous mangez trois fois par jour, vous prenez quatre-vingt-dix repas par mois, plus de mille par année! Ça vaut la peine de modifier son comportement alimentaire et mental puisque vous ajouterez non seulement des années à votre vie mais de la vie à vos années. Vous pourrez, à votre tour, utiliser le slogan populaire «MA SANTÉ JE M'EN OCCUPE».

Conclusion

«La santé vaut toutes les richesses»: proverbe célèbre et vieux comme le monde qui démontre que tout l'or de la terre n'est pas aussi précieux qu'une bonne forme physique.

La diététique doit son origine, dit-on, à la déesse Hygeia qui veilla sur la santé d'Athènes, cité de la Beauté et de la Sagesse. Elle est reconnue comme la mère de la «médecine par bonne hygiène de vie»: une médecine du savoir-vivre, reliée directement au savoir-manger.

La santé vient en mangeant rationnellement et une amélioration de notre mode de vie n'implique pas d'immenses bouleversements, loin de là... Une cuisine hyperrésiduelle se prépare sans difficulté et n'est pas terne. Elle comporte autant de qualités gastronomiques que les plats des chefs les plus réputés qui ne ménagent ni votre estomac, ni votre foie, ni votre coeur, ni votre intestin.

Puisse ce livre être pour vous un guide du savoir-manger, un modèle de bon sens et une porte ouverte sur une vie plus intense vous permettant de jouir de toute l'énergie et de toute l'endurance nécessaires à la vie de tous les jours. Soyez responsable de votre santé et, dans une large mesure, votre propre médecin. C'est l'invitation que nous vous lançons.

Faites-le maintenant, passez à l'action et ne remettez pas à plus tard la réalisation de votre bien-être quotidien. Tant que ce livre ne demeurera pour vous qu'un amas de fibres de papier recouvertes d'encre et de mots, il ne vous sera d'aucune utilité pour changer votre vie. C'est en commençant à suivre, dès aujourd'hui, les précieux conseils que vous y trouverez que vous réussirez à retirer ce que vous souhaitez vraiment de la vie. Le plus difficile est de s'y mettre tout de suite! Le changement c'est vous qui le provoquez et le plus grand miracle c'est encore de vaincre votre inertie en vous motivant et en devenant enthousiaste. Bonne chance!

CHAPITRE V

Anthologie des recettes

Cuisinez pour votre santé et votre satisfaction personnelle. Voici un répertoire de 70 recettes savoureuses, parfois inusitées, qui surprendront agréablement les palais les plus exigeants.

Elles ont été mises au point spécialement pour ceux et celles qui sont conscients de l'importance d'augmenter l'apport en fibres alimentaires de leur menu quotidien.

Tous les groupes d'aliments y sont représentés. L'abondance est de mise quand il s'agit de fibres, et ce tout en maintenant l'apport de calories à un niveau adéquat.

Les mets à la viande, toujours favoris, ont leur place dans les recettes-fibres. Elles permettent d'y dissimuler des légumineuses, des noix et même des graines qui ne passeraient pas autrement. Ainsi subtilement cachées, elles permettent à de simples casseroles de s'élever au rang de plats riches en fibres. Si l'on a soin de dégraisser la viande, on peut se régaler de toutes les variétés sans restriction.

Les poissons aussi sont les bienvenus et remplacent avantageusement la viande ou la volaille. Ces trésors de la mer se marient admirablement bien avec une infinité de fruits ou de légumes et deviennent de ce fait une source intéressante et variée de fibres. C'est une excellente manière de rendre le poisson populaire chez vous.

Dans les recettes-fibres, les fruits et les légumes occupent une large place. Les portions sont généreuses et les apprêts diffèrent de ceux auxquels l'usage les confine. Elles vous serviront de guide pour créer vos propres recettes et vous feront découvrir de nouvelles saveurs. Leur atout principal est leur richesse en fibres et leur relative pauvreté en calories.

Lorsque, entre les repas, vous désirez chasser la fringale avec quelque chose de léger, pourquoi ne pas vous tourner vers des crudités, des jus de légumes ou encore du bouillon de légumes fait à la maison? Chauds ou froids, ils sont rafraîchissants et contiennent peu de calories.

Comme entrée, de petites portions de crème aux légumes, de bouillon ou de potage aux fruits attisent agréablement l'appétit.

Pour un lunch ou un souper différent, servez une soupe substantielle avec une salade et un dessert au lait.

Les chaudrées sont des soupes-repas rassasiantes à base de bouillon et de lait pouvant inclure poisson, viande ou légumes.

Tout bon repas doit se terminer sous le signe de la santé et offrir des desserts pacifiants. Le goût du sucré ne se déracine pas spontanément mais nous vous suggérons quelques heureuses combinaisons de mets où les fruits sont en vedette et où les noix, parfois même les céréales sont présentes. Ils vous serviront d'inspiration pour vous aider à vous libérer peu à peu des desserts trop riches en sucre et en gras, pour finalement ne plus les désirer.

Ne soyez plus des gobe-tout, offrez-vous dès aujourd'hui des mets dont le rapport fibres / calories est sûr.

Table de la teneur en fibres des recettes

Dans cette table, les recettes apparaissent selon l'ordre décroissant de leur teneur en fibres.

Potages	Fibres (grammes)
Soupe aux petits fruits d'été	10
Soupe écarlate à la viande	10
Potage de pois chiches et tomates	9
Soupe aux haricots et fromage	7
Gaspacho	7
Cocktail de crudités	7
Potage minestrone	6
Chaudrée «Brin de fibres»	6
Soupe aux pois d'autrefois	6
Potage «toutes saisons»	5
Potage aux fanes de navet	5

Mets principaux	Fibres (grammes)
Oeufs à la florentine	14
Pomme de terre farcie	12
Tortillas mexicaines	12
Cuisseau de veau farci à l'orange	11
Carré aux oeufs tricolore	10
Hummus	10
Rouelles à la mode végétarienne	9
Moussaka à la grecque	8
Sukyaki et algues nori	8
Cigares au chou rouge	8
Truites arc-en-ciel à l'avocat	8
Trempette de haricots frits	8
Crevettes et thon au cari sur lit de riz brun	7
Salade croque-nature	6 à 9
Feuilletés Bricks avec sauce macédoine	6
Porc Suey à l'orientale	6
Macaro-chili	6
Moules farcies aux amandes	6

Mets principaux (suite)

Légumes et salades

Fruits

Pâtisseries

Répertoire
des recettes

Soupe aux petits fruits d'été

Une soupe qui surprend agréablement. Elle vous vaudra des éloges.

FIBRES : Recette : 40 g   PAR PORTION : 10 g

1 *l* de groseilles rouges ou gadelles sauvages, équeutées	250 ml d'eau
500 ml de petits fruits (framboises ou mûres diverses)	85 ml de sucre en poudre (à fruits)
	180 ml de crème sure
	bouquet de feuilles de céleri ou de fenouil

Mode de préparation

1. Laver et équeuter les groseilles ; rincer les framboises ou les mûres à l'eau courante ; bien les égoutter.
2. Combiner les fruits et l'eau dans une casserole.
3. Amener lentement à ébullition, réduire la chaleur et faire mijoter doucement jusqu'à ce que les fruits soient tendres (pas plus de 5 minutes).
4. Passer les fruits cuits au travers d'un fin tamis, en extrayant tout le jus et la chair pulpeuse.
5. Ajouter le sucre et remuer juste pour le dissoudre.
6. Goûter et ajouter plus de sucre si désiré, mais se rappeler que cette soupe doit être acidulée pour être rafraîchissante.
7. Couvrir et mettre au réfrigérateur jusqu'à ce qu'elle soit bien froide.
8. Pour servir, verser dans de petits bols et décorer de 45 ml de crème sure et de quelques feuilles de céleri ou de fenouil.

NOTE : Les soupes aux fruits doivent être dégustées lentement, cuillerée par cuillerée, pour goûter tout le parfum riche et rafraîchissant des baies.

RENDEMENT :
4 portions de 180 ml.

Soupe écarlate à la viande

Une soupe-repas délicieuse et originale; servez-la souvent,
elle regorge de fibres.

FIBRES: Recette: 60 g   PAR PORTION: 10 g

---

* 125 ml de petits haricots rouges   125 ml de lentilles sèches, trempées
  45 ml d'huile d'olive   toute une nuit, et rincées
 600 g de veau désossé, en cubes   1 grosse betterave crue, pelée et
 170 ml d'oignons émincés   coupée en fines lanières
   1 ml de curcuma   250 ml de fruits secs mélangés (60 ml
      quelques grains   de chacun) abricots, pruneaux,
      de cardamome (4-5)   pêches, raisins
      une pincée de cumin   sel et poivre frais moulu
   1 *l* de bouillon de poulet   30 ml de jus de citron
                               15 ml de persil frais émincé

Mode de préparation

1. Égoutter les haricots, les rincer et les placer dans une grande marmite; les recouvrir d'eau froide (environ 300 ml).

2. Porter à ébullition, réduire la chaleur et laisser mijoter à découvert, pendant une heure ou jusqu'à ce que les haricots soient tendres.

3. Chauffer l'huile d'olive dans une cocotte profonde et sauter les cubes de veau en les retournant fréquemment jusqu'à ce qu'ils soient brunis.

4. Ajouter les oignons émincés, le curcuma, la cardamome et le cumin; remuer et laisser cuire 2 minutes.

5. Ajouter le bouillon de poulet, les haricots cuits avec leur liquide, les lentilles égouttées et la betterave en lanières.

6. Amener à ébullition, baisser le feu, couvrir et laisser mijoter durant 1 heure.

7. Ajouter les fruits secs, couvrir et prolonger la cuisson encore 30 minutes.

8. Assaisonner au goût.

9. Au moment du service, ajouter le jus de citron tout en brassant et un peu de bouillon, si la soupe est trop épaisse.

10. Décorer avec du persil frais émincé.

NOTE: Cette soupe est tout aussi savoureuse réchauffée; prendre soin de ne réchauffer que la quantité désirée.

* Secs (trempés toute une nuit dans 375 ml d'eau)

RENDEMENT:
6 portions généreuses de 250 ml.

Potage de pois chiches et tomates

(pas aussi chiche qu'on le croit!)

FIBRES: Recette: 34 g   PAR PORTION: 9 g

*1 180 ml   de pois chiches frais
*2 750 ml   de bouillon de poulet maison
    796 ml   de tomates en conserve

125 ml   d'oignons hachés
  2 ml   de sel
  1 ml   de poivre

Mode de préparation

1. Faire tremper 180 ml de pois chiches secs dans 600 ml d'eau froide, au réfrigérateur, toute la nuit; ce qui donnera, une fois cuits, environ 540 ml.

2. Le lendemain, rincer les pois chiches, amener à ébullition dans 540 ml d'eau fraîche (pour aider à diminuer le problème de flatulence); couvrir et laisser mijoter sur feu doux jusqu'à tendreté (environ 1 heure).

3. Dans une casserole, mettre le bouillon de poulet, les tomates et les pois chiches.

4. Amener à ébullition et ajouter les oignons hachés, le sel et le poivre.

5. Faire mijoter 30 minutes à feu doux. Rectifier l'assaisonnement si nécessaire.

6. Servir très chaud.

NOTE: Pour gagner du temps, faire cuire une plus grande quantité de pois chiches et les congeler ensuite par portion de 250 ml pour en avoir toujours sous la main. On peut aussi préparer une plus grande quantité de ce potage très nutritif et le congeler par portion d'un repas.

*1   On peut aussi utiliser 540 ml de pois chiches en conserve.

*2   Si l'on utilise du bouillon de poulet en poudre ou concentré reconstitué, omettre le sel ou goûter avant d'en ajouter.

RENDEMENT:
4 portions de 250 ml.

Soupe aux haricots et fromage

Plus qu'un potage, un casse-croûte complet en soi.

FIBRES : Recette : 44 g   PAR PORTION : 7 g

227 g	de haricots blancs Great Northern ou pinto, ou romain (environ 250 ml)	2 ml	de sel
		1 ml	de poivre noir moulu
		5 ml	de romarin
1,5 *l*	d'eau	1 ml	de paprika
50 ml	d'huile végétale	1 ml	de poudre d'ail
1	oignon moyen haché menu	60 ml	de persil frais haché
1	grosse carotte en dés fins	6	tranches de pain croûté de blé entier grillé
2	branches de céleri, avec feuilles, hachées		
250 ml	de jambon cuit en dés (ou autres restes de viande)	125 ml	de fromage parmesan à râper (frais de préférence)

Mode de préparation

1. Laver et trier les haricots : les déposer dans une grande casserole et les couvrir d'eau.

2. Amener à ébullition et laisser bouillir 2 minutes.

3. Retirer du feu, couvrir et faire reposer 1 heure.

4. Égoutter et rincer les haricots ; ajouter 1,5 *l* d'eau fraîche et mettre de côté.

5. Chauffer l'huile dans une grande casserole et y faire revenir l'oignon, la carotte, le céleri et le jambon pendant 5 minutes. Remuer constamment sans faire prendre couleur aux légumes.

6. Ajouter les haricots avec l'eau, le sel, le poivre, le romarin, le paprika et la poudre d'ail.

7. Amener au point d'ébullition, diminuer la chaleur et laisser mijoter lentement, partiellement couvert, pendant environ 1½ heure ou jusqu'à ce que les haricots soient tendres.

8. Retirer environ 250 ml du mélange de haricots cuits et les passer au mélangeur pour les réduire en purée.

9. Ajouter la purée dans la soupe et brasser pour mélanger intimement (la purée donne plus de consistance à la soupe).

10. Incorporer le persil frais haché menu et laisser mijoter à feu doux en remuant pendant 2 minutes.

11. Déposer une tranche de pain grillé au fond de chaque bol à soupe ; verser 250 ml de soupe sur le pain et saupoudrer de fromage parmesan frais râpé (environ 15 ml).

12. Gratiner quelques minutes si désiré.

RENDEMENT :
6 portions de 250 ml.

Gaspacho

*Une soupe froide typique du Sud de l'Espagne
et fantastique pour la saison estivale.*

FIBRES: Recette: 27 g	PAR PORTION: 7 g

390 g	de tomates fraîches (3 moyennes), pelées et hachées grossièrement	15 ml	de vinaigre
		5 ml	de sel
		1	pincée de poivre noir frais moulu
227 g	de courgettes zucchini ou de concombres sans graines pelés et hachés grossièrement	500 ml	de croûtons frais de blé entier (pain séché non grillé)
		500 ml	d'eau froide
2	poivrons verts hachés finement		quelques gouttes de sauce tabasco
4	pointes d'ail émincées	50 ml	d'huile d'olive
227 g	d'oignons espagnols hachés finement		

Mode de préparation

1. Faire tremper les croûtons de pain dans l'eau pour les ramollir.
2. Préparer les tomates, les courgettes, les poivrons, l'ail et les oignons et les déposer dans un grand saladier en verre.
3. Ajouter les croûtons trempés dans l'eau, le vinaigre, le sel et le poivre, ainsi que la sauce tabasco.
4. Réduire ce mélange en purée, 500 ml à la fois, dans le mélangeur électrique.
5. Retourner la purée dans le grand saladier et incorporer l'huile d'olive en fouettant vigoureusement.
6. Couvrir et réfrigérer au moins une heure.
7. Pour servir, ajouter de l'eau si la consistance apparaît trop épaisse.
8. Distribuer dans des bols à bouillon et garnir de croûtons à l'ail si désiré.

NOTE: Ce potage exige d'être dégusté très froid pour être rafraîchissant.

RENDEMENT:
4 portions de 240 ml.

Cocktail de crudités

Un verre de santé à déguster avant le repas : piquant et réconfortant pour calmer la fringale.

FIBRES : Recette : 13 g   PAR PORTION : 7 g

454 g	(ou 540 ml en conserve) de tomates fraîches en dés
100 g	(1 grosse) carotte râpée
1	poivron vert en petits dés
5 ml	de jus de citron frais

5 ml	de persil frais haché ou de ciboulette
5 ml	de graines de céleri sel et poivre au goût
1 ou 2	gouttes de sauce tabasco
2	branches de céleri avec feuilles

Mode de préparation

1. Mettre tous les ingrédients dans la jarre du mélangeur électrique sauf le céleri.

2. Faire tourner à haute vitesse pour que le mélange devienne un liquide lisse et homogène.

3. Verser la préparation dans deux grands verres de 300 ml bien refroidis.

4. Placer une petite branche de céleri avec feuilles dans chaque verre en guise de bâtonnets pour agiter le cocktail et croquer tout en buvant.

RENDEMENT :
2 portions de 284 ml.

Potage Minestrone

Une soupe maison substantielle, prête en 30 minutes!
Elle est savoureuse comme goûter ou léger souper.

FIBRES: Recette: 46 g   PAR PORTION: 6 g

1	oignon haché	1	pomme de terre en dés
1	branche de céleri haché	15 ml	de persil frais haché
1	courgette zucchini en dés	1 ml	de poivre frais moulu
	non pelée	1 ml	de basilic
1	pointe d'ail écrasée	1 ml	de graines de céleri
50 ml	de gras de bacon ou	1	feuille de laurier
	margarine		sel au goût
1,5 *l*	de bouillon de poulet	250 ml	de haricots de Lima cuits
540 ml	de tomates en conserve	114 g	d'épinards
250 ml	de chou haché en filaments	125 ml	(40 g) de nouilles non cuites
250 ml	de haricots verts en		ou d'autres pâtes alimentaires
	bout de 2 cm		de blé entier
2	carottes en dés fins	40 ml	de fromage parmesan râpé

Mode de préparation

1. Sauter l'oignon, le céleri, la courgette et l'ail dans le gras chaud jusqu'à transparence de l'oignon. Remuer pour ne pas laisser prendre couleur.

2. Ajouter le bouillon, les tomates en conserve, le chou, les haricots verts, les carottes et la pomme de terre.

3. Assaisonner de persil, de poivre, de basilic, de graines de céleri et de laurier.

4. Porter à ébullition, réduire la chaleur et mijoter jusqu'à ce que les légumes soient tendres mais légèrement croquants (environ 20 minutes).

5. Goûter, ajouter du sel si nécessaire, rectifier l'assaisonnement.

6. Incorporer, tout en remuant, les haricots de Lima cuits, les épinards et les nouilles non cuites.

7. Cuire environ 10 minutes de plus à feu doux jusqu'à tendreté des pâtes.

8. Retirer la feuille de laurier et servir en saupoudrant chaque bol de soupe de 5 ml de fromage parmesan râpé.

NOTE: Cette recette est une excellente façon d'utiliser les restes de légumes. Elle se congèle très bien si on ajoute les pâtes alimentaires cuites après la décongélation au moment de la réchauffer.

RENDEMENT:
8 portions de 250 ml.

Chaudrée « Brin de fibres »

FIBRES: Recette: 48 g   PAR PORTION: 6 g

50 ml	de beurre	1	feuille de laurier
2	poireaux hachés	5 ml	de sel
6	oignons verts hachés	1 ml	de poivre
2	pommes de terre en dés	30 ml	de persil frais
1	gros panais haché	250 ml	de haricots verts frais ou
1	grosse carotte tranchée		surgelés en morceaux de 1 cm
450 ml	d'orge perlé ou entier	284 g	d'épinards frais déchiquetés
1,5 l	de bouillon de poulet	500 ml	de lait frissonnant
	(fond blanc) *	125 ml	de crème de table (15%)

Mode de préparation

1. Chauffer le beurre dans une cocotte ou dans une grande casserole.
2. Cuire les poireaux (partie blanche et verte) hachés et les oignons verts en brassant sans laisser prendre couleur, environ 5 minutes.
3. Ajouter les pommes de terre, le panais, la carotte, l'orge, le bouillon de poulet, le laurier, le sel, le poivre et le persil.
4. Chauffer jusqu'à ébullition, baisser le feu, couvrir et mijoter à feu doux, environ 35 minutes.
5. Ajouter les haricots verts et cuire pendant 10 minutes.
6. Ajouter les épinards et cuire encore 5 minutes ou jusqu'à ce que tous les légumes soient tendres. Retirer la feuille de laurier.

7. Passer ces légumes, par petites quantités, au mélangeur pour les réduire en purée lisse.
8. Remettre la purée de légumes dans la casserole.
9. Ajouter le lait frissonnant tout en remuant.
10. Goûter, rectifier l'assaisonnement si nécessaire.
11. Ajouter la crème très graduellement tout en brassant et réchauffer sans laisser bouillir.
12. Servir fumant, décoré de bouquets de persil frais.

NOTE: Ce potage nourrissant se conserve bien dans un contenant hermétique au réfrigérateur; ne réchauffer que la quantité à consommer.

* Si l'on utilise une base de poulet en poudre ou concentrée, omettre le sel. Goûter à la fin avant d'en ajouter si nécessaire.

RENDEMENT:
8 portions de 250 ml.

Soupe aux pois d'autrefois

Une soupe d'antan prête en un rien de temps.

FIBRES: Recette: 36 g   PAR PORTION: 6 g

1,5 *l*	de bouillon de légumes ou d'eau	125 ml	de céleri grossièrement haché
100 g	de lard salé en dés	750 ml	de pois à soupe (jaunes) cuits
250 ml	d'oignons hachés	125 ml	de maïs lessivé
250 ml	de navet en dés	5 ml	d'herbes salées
250 ml	de carottes en dés	1 ml	de poivre

Mode de préparation

1. Amener le bouillon de légumes ou l'eau au point d'ébullition.
2. Ajouter le lard salé, les oignons, le navet, les carottes et le céleri.
3. Couvrir et faire mijoter pendant 20 minutes.
4. Ajouter les pois cuits et le maïs lessivé.
5. Couvrir et laisser mijoter sur feu doux encore 30 minutes.
6. Ajouter les herbes salées, le poivre et rectifier l'assaisonnement si nécessaire.
7. Servir aussitôt.

NOTE: Pour avoir des pois prêts lorsque vous en aurez besoin, les faire tremper 3 heures et les faire mijoter 3 heures. Ils se conservent au réfrigérateur 2 semaines et seront ainsi disponibles pour une soupe improvisée.

RENDEMENT:
6 portions de 250 ml.

Potage «toutes saisons»

Une heureuse idée pour passer les restes de légumes frais.

FIBRES: Recette: 19 g	PAR PORTION: 5 g

750 ml	de fond blanc (volaille ou veau)	50 g	de pois surgelés
50 g	de fleurettes de chou-fleur	1	petit oignon haché
50 g	de carottes en dés	4	gros champignons émincés
50 g	de céleri en dés	500 ml	de tomates en conserve
50 g	de têtes de brocoli		sel et poivre au goût
50 g	de chou émincé en filaments		bouquets de persil ou
50 g	de navet en dés		de feuilles de cresson

Mode de préparation

1. Dans une grande marmite, cuire le chou-fleur, les carottes, le céleri, le brocoli, le chou et le navet dans le fond blanc.

2. Laisser cuire environ 20 minutes ou jusqu'à ce que tous les légumes soient tendres mais légèrement croquants.

3. Ajouter les pois surgelés, l'oignon, les champignons émincés et les tomates en conserve. Remuer pour bien mélanger tous les légumes.

4. Cuire 10 minutes de plus en laissant mijoter à feu doux.

5. Goûter et rectifier l'assaisonnement.

6. Servir très chaud garni de bouquets de persil ou de quelques feuilles de cresson.

NOTE: Ce potage très consistant peut être accompagné de croûtons de blé entier et complète à merveille un repas-sandwich à l'heure du lunch.

RENDEMENT:
4 portions de 190 ml.

181

Potage aux fanes de navet

FIBRES: Recette: 20 g   PAR PORTION: 5 g

---

200 g   de feuilles de navet, de bette,   4   pommes de terre moyennes
        de radis ou autres (2 bottes)   1 *l*   de bouillon de légumes maison *
2   oignons moyens   sel et poivre
                                                60 ml   de crème de table (15%)

Mode de préparation

1. Laver les fanes de navet et bien les essorer.
2. Éplucher les oignons et les pommes de terre et les couper en gros morceaux.
3. Faire chauffer le bouillon de légumes jusqu'à ébullition et y ajouter les légumes et les fanes de navet.
4. Laisser mijoter 30 minutes.
5. Passer ces légumes au mélangeur, par petites quantités à la fois, pour obtenir une purée lisse.

6. Assaisonner au goût.
7. Réchauffer jusqu'au point d'ébullition et ajouter la crème au moment de servir. Remuer pour obtenir une texture onctueuse et lisse.

* Utiliser les restes de légumes pour préparer le bouillon de légumes *ou* conserver le liquide de cuisson des légumes pour en avoir toujours de disponible.

RENDEMENT:
4 portions de 250 ml.

Oeufs à la florentine

Un mets «fibrement bon» pour commencer la journée.

FIBRES: Recette: 28 g	PAR PORTION: 14 g

45 ml	de beurre	750 ml	d'épinards frais cuits et réduits en purée
45 ml	de farine de blé entier		
125 ml	de lait chaud	1	pincée de muscade
125 ml	de crème 15% tiède	4	oeufs pochés
1 ml	de poivre frais moulu	15 ml	de fromage parmesan râpé

Mode de préparation

1. Dans un bain-marie, fondre le beurre, ajouter la farine et fouetter pour bien lier le roux.
2. Retirer du feu, incorporer tout en brassant le lait chaud et la crème tiédie.
3. Faire cuire au-dessus de l'eau chaude (sans bouillir), tout en brassant vigoureusement avec un fouet jusqu'a épaississement.
4. Poivrer et combiner les épinards chauds en purée avec ⅓ du mélange de sauce; saupoudrez de muscade.
5. Verser la purée d'épinards dans un plat profond et disposer les oeufs pochés sur le dessus.
6. Étendre le reste de la sauce sur les oeufs.
7. Saupoudrer de fromage parmesan râpé.
8. Cuire dans un four préchauffé à 180° C jusqu'à ce que le dessus soit légèrement doré (environ 10 à 15 minutes).

NOTE: Idéal pour le brunch accompagné de petits pains croûtés de blé entier et de beurre doux.
1 petit pain de blé entier donne 2,4 g de fibres.

RENDEMENT:
2 portions.

Pomme de terre au four farcie

Pour un repas de solitaire... simple et nourrissant.

FIBRES : Recette : 12 g   PAR PORTION : 12 g

1	grosse pomme de terre cuite au four et chaude
15 ml	d'huile
60 ml	(½) oignon haché
60 ml	(½) poivron rouge haché
4	gros champignons émincés
60 ml	de petits pois surgelés *ou*
60 ml	de maïs en grains égouttés
1	petite tomate hachée
5 ml	de sauce soya naturelle (tamari)
1	pincée de gingembre
1	pincée de poivre

Mode de préparation

1. Pendant que la pomme de terre cuit au four, faire sauter l'oignon et le poivron rouge dans l'huile jusqu'à ce qu'ils soient tendres et croustillants.
2. Ajouter les champignons et cuire quelques minutes pour les dorer légèrement.
3. Ajouter les pois (ou le maïs) et la tomate et cuire 3 minutes de plus.
4. Remuer vivement tout en ajoutant la sauce soya, le gingembre et le poivre ; brasser en cuisant pour bien chauffer le tout.
5. Fendre la pomme de terre presque en deux dans le sens de la longueur et remplir le centre du mélange de légumes.

NOTE : Compléter ce repas avec 45 g (1 gros cube) de fromage cheddar en dés, si désiré.

RENDEMENT :
1 portion.

Tortillas mexicaines

Pour les novices ou les amateurs de cuisine à saveur mexicaine, voici un mets chaud et riche en couleurs.

FIBRES : Recette : garniture, 30 g
      tortillas, 45 g

PAR PORTION : garniture, 5 g
       2 tortillas, 7 g

GARNITURE À LA VIANDE (ENVIRON 750 ML)

500 g	de boeuf haché maigre *ou*
450 g	de fromage mozzarella râpé *ou*
750 ml	de poulet cuit en dés
30 ml	d'huile à cuisson
1	gros oignon d'Espagne haché
1	gros poivron vert évidé et haché
2	pointes d'ail écrasées
540 ml	(1 boîte) de haricots de Lima cuits égouttés (ou 480 ml frais cuits)
8	olives noires hachées
2	tomates fraîches, pelées, épépinées et hachées
7 ml	de poudre de chili
2 ml	de cumin
2 ml	d'origan
1 ml	de coriandre moulue sel et poivre frais moulu au goût

SAUCE

540 ml	(1 boîte) de sauce tomate
30 ml	de vinaigre blanc
5	gouttes de sauce tabasco
2 ml	de poudre de chili

ASSEMBLAGE

12	tortillas de maïs
398 ml	(1 boîte) de maïs en grains entiers égouttés
250 ml	de fromage cheddar râpé

Mode de préparation

1. Cuire le boeuf haché dans un grand poêlon avec l'huile chaude jusqu'à ce que la viande ait pris couleur.
2. Égoutter l'excès de gras; ajouter l'oignon, le poivron et l'ail.
3. Cuire en remuant jusqu'à ce que les légumes apparaissent mous.
4. Écraser, à la fourchette, les haricots de Lima cuits et égouttés.
5. Incorporer les haricots en purée au mélange de viande. (Si vous omettez la viande, ajoutez le fromage après les haricots.)
6. Ajouter ensuite, les olives, les tomates, la poudre de chili, le cumin, l'origan, et la coriandre.
7. Goûter et rectifier l'assaisonnement si désiré.

8. Cuire à feu doux, en brassant fréquemment, pendant 15 minutes ; saler et poivrer au goût. Mettre de côté.

9. *Préparer la sauce comme suit :*
Mélanger la sauce tomate avec le vinaigre, la sauce tabasco et le chili.
La faire mijoter doucement quelques minutes.

10. Réchauffer les tortillas au four (160°C) bien emballées dans du papier d'aluminium, pendant une dizaine de minutes.

11. *Pour assembler :* déposer 3 tortillas dans un plat à four graissé.

12. Étendre ¼ de la garniture à la viande à la surface.

13. Ajouter ¼ de la quantité de maïs en grains.

14. Recouvrir avec ¼ de la sauce tomate.

15. Répéter l'opération jusqu'à ce que tous les ingrédients soient utilisés ; terminer par la sauce tomate.

16. Saupoudrer de fromage râpé et remettre au four pendant 20 minutes pour faire dorer le fromage.

NOTE : Si désiré, on peut assembler individuellement 2 tortillas à la fois et passer au gril quelques minutes pour gratiner le fromage.
On peut aussi agrémenter ce mets avec de la crème sure, du yogourt nature, des tranches d'avocat ou encore des verdures hachées.

RENDEMENT :
6 portions
(2 tortillas par portion
avec 125 ml de garniture).

Tortillas «Maison»

750 ml de farine de maïs instantanée
(masa harina)
5 ml de sel

15 ml de beurre fondu
200 ml de lait
125 ml d'eau

Mode de préparation

1. Combiner la farine de maïs instantanée avec le sel dans un grand bol.
2. Ajouter le beurre fondu et le lait en même temps et mélanger dans la farine avec les mains.
3. Ajouter l'eau graduellement tout en travaillant la pâte avec les doigts jusqu'à ce que la pâte soit molle mais souple. (La pâte ne doit pas s'émietter.)
4. Si la pâte apparaît collante, ajouter un peu de farine; former une boule lisse et douce et la laisser reposer bien couverte de 20 à 30 minutes.
5. Prélever un morceau de pâte de la grosseur d'une grosse noix.
6. L'aplatir avec le rouleau à pâte entre deux feuilles de pellicule plastique pour former un cercle de 15 cm de diamètre et de 3 mm d'épaisseur (très mince). Si la pellicule plastique tend à coller, saupoudrer de masa harina avant d'abaisser.

7. Frire dans un poêlon légèrement huilé à feu moyen, environ 2 minutes par côté (comme pour des crêpes); ne retourner qu'une fois quand le dessous présente des taches dorées.
8. Éviter de trop les cuire, car elles durciront; les retirer aussitôt du poêlon et les déposer au fur et à mesure sur un morceau de papier d'aluminium.
9. Les conserver chaudes bien recouvertes dans un linge à vaisselle; elles resteront humides et tendres.
10. Pour les réchauffer, les placer au four à 160°C, pendant 15 minutes.

NOTE: Ces tortillas sont meilleures fraîches cuites, mais elles peuvent être congelées cuites ou non.
Dans le commerce, on peut se procurer des tortillas toutes préparées ou ses dérivés; les croustillants tacos et les tendres enchiladas. Les pochettes de pain pita de blé entier conviennent très bien pour présenter les garnitures mexicaines.

RENDEMENT:
12 à 15 tortillas environ.

Cuisseau de veau farci à l'orange

Un mets élégant et original aussi beau à voir qu'à manger.

FIBRES : Recette : 66 g   PAR PORTION : 11 g

1,5 kg	de cuisseau de veau désossé
45 ml	de beurre
1	oignon moyen haché fin
1	poireau haché finement
227 g	de champignons (22 moyens)

4	tranches de bacon
250 ml	de bouillon de boeuf

Mode de préparation

1. Faire revenir l'oignon et le poireau dans le beurre chaud jusqu'à ce qu'ils soient ramollis mais non dorés.
2. Ajouter les champignons et laisser cuire 3 minutes en remuant constamment.
3. Laver les épinards à l'eau courante et cuire les feuilles 1 minute à la vapeur (ils doivent être à peine cuits, juste attendris).
4. Égoutter les feuilles cuites et les hacher finement.
5. Mélanger les feuilles hachées aux légumes et ajouter l'oeuf battu ; bien remuer.
6. Incorporer le riz cuit et les marrons.

7. Assaisonner le mélange de romarin, de sel et de poivre vert et en farcir le cuisseau de veau.
8. Bien fixer la farce avec des brochettes et déposer sur une claie dans une lèchefrite peu profonde.
9. Disposer les tranches de bacon à la surface.
10. Ajouter le bouillon de boeuf et recouvrir d'un papier d'aluminium.
11. Cuire au four à 160°C pendant 2 heures ou jusqu'à ce que la température interne de la viande indique 75°C.
12. Découvrir la viande et faire cuire pour dorer 30 minutes de plus.

FARCE

450 g	(800 ml) de feuilles d'épinards cuites à la vapeur (ou tout autre légume-feuille : oseille, bette, etc.)
1	oeuf légèrement battu
250 ml	de riz brun cuit
125 ml	de marrons cuits égouttés (ou autre variété de noix)
2 ml	de romain
2 ml	de sel
1 ml	de poivre vert frais moulu

SAUCE

4	oranges
30 ml	de sucre blanc
5 ml	de poivre vert
30 ml	de farine de blé entier
15 ml	d'eau froide
	bouquets de persil

Pour préparer la sauce

13. Prélever l'écorce de 4 oranges en enlevant la membrane blanche à l'intérieur (elle donnerait un goût amer à la sauce).

14. Couper les écorces d'orange en fines lanières, les recouvrir d'eau froide et les faire bouillir 3 fois, en changeant l'eau après chaque ébullition).

15. Ensuite, recouvrir les écorces d'orange avec de l'eau fraîche et ajouter le sucre.

16. Cuire doucement sur un feu doux en remuant juste pour dissoudre le sucre, pendant environ 15 minutes ou jusqu'à ce que l'eau se soit évaporée.

17. Déposer les lanières d'écorce d'orange sur du papier absorbant pour égoutter.

18. Quand le rôti est bien cuit, le retirer de la lèchefrite, le recouvrir pendant la préparation de la sauce (il se découpera mieux, s'il repose 10 minutes).

19. Gratter le fond de la lèchefrite pour dissoudre toutes les particules qui adhèrent au fond et les inclure dans la sauce.

20. Ajouter au jus de viande, le jus de 4 oranges et faire réduire de moitié à feu vif tout en brassant sans arrêt.

21. Ajouter le poivre vert et les lanières d'écorce d'orange glacées.

22. Laisser mijoter doucement quelques minutes.

23. Épaissir si désiré avec la farine diluée dans l'eau froide.

24. Verser cette sauce dans une saucière et servir avec le rôti de veau garni de bouquets de persil.

NOTE: Les topinambours accompagnent bien cette viande rôtie et changent de l'éternelle pomme de terre.

RENDEMENT:
6 portions d'environ 150 g.

Carré aux oeufs tricolore

Trois étages de couleurs: des légumes au goût du jour.
Trois couches de fibres alimentaires dans un seul plat principal !

FIBRES : Recette : 57 g | PAR PORTION : 10 g

1er étage

15 ml   d'huile
1   oignon moyen haché finement
2   gros oeufs
300 g   (450 ml) de pois congelés cuits
         sel et poivre

2e étage

2   gros oeufs
280 g   (500 ml) de chou-fleur frais ou
         congelé cuit
         sel et poivre

3e étage

2   gros oeufs
4   carottes moyennes cuites
         sel et poivre

GARNITURE

250 ml   d'épinards cuits et réduits
         en purée (ou oseille)
4   anneaux de poivron rouge

Mode de préparation

1. Sauter l'oignon dans l'huile jusqu'à transparence.

2. Dans la jarre du mélangeur, combiner les pois cuits, les oeufs, le tiers des oignons sautés, le sel et le poivre.

3. Réduire en purée, à haute vitesse, et étendre le mélange dans un plat à four carré de 2,5 *l.*

4. Réduire en purée le second mélange des oeufs, le chou-fleur et le second tiers d'oignons sautés.

5. Assaisonner et étendre uniformément le mélange de chou-fleur sur la première couche.

6. Combiner les oeufs, les carottes cuites, le dernier tiers des oignons et les assaisonnements dans la jarre du mélangeur.

7. Réduire en purée et étendre sur la seconde couche de chou-fleur. Égaliser la surface.

8. Déposer le plat dans un plat plus grand contenant de l'eau chaude.

9. Pocher au centre du four préchauffé à 180° C pendant 1 heure ou jusqu'à ce que la pointe d'un couteau insérée au centre en ressorte propre.

10. Au sortir du four, retirer le moule du bain d'eau chaude et recouvrir la surface d'une couche d'épinards réduits en purée.

11. Garnir d'anneaux de poivron rouge.

RENDEMENT :
6 portions
(équivalent de 1 carré de 13 cm par portion).

Hummus (Homos)

Populaire parmi les Libanais, cette trempette au goût d'amande est très appréciée avec du pain pita de blé entier.

FIBRES : Recette : 34 g PAR PORTION : 10 g

750 ml	de pois chiches cuits (garbanzo)	175 ml	de beurre de sésame (tahini) ou
125 ml	de liquide de cuisson		de graines de sésame moulues
3	pointes d'ail écrasées	2 ml	de poivre noir
5 ml	de sel	15 ml	de persil frais et d'oignons verts
125 ml	de jus de citron		huile d'olive (facultatif)
			pain pita de blé entier :
			6 pochettes

Mode de préparation

1. Dans la jarre du mélangeur électrique, réduire en purée bien lisse, les pois chiches par petites quantités à la fois en utilisant un peu du liquide de cuisson des pois.

2. Ajouter à la purée de pois, l'ail, le sel, le jus de citron, le beurre de sésame et le poivre.

3. Bien mélanger jusqu'à ce que la consistance soit épaisse et la texture lisse et onctueuse ; si nécessaire ajouter un peu d'huile d'olive ou un peu plus du liquide de cuisson.

4. Garnir de persil frais, d'oignons verts émincés et servir avec des morceaux de pain pita de blé entier si utilisé comme trempette. Pour un sandwich, farcir une pochette de pain pita de blé entier.

NOTE : 1 pochette de pain pita de blé entier avec 125 ml de garniture donne 10 g de fibres.

RENDEMENT :
750 ml ou 6 pochettes de pain pita farcies.

Rouelles à la mode végétarienne

Un curieux et fort heureux mélange de céréales, de légumineuses, de noix et de graines réunis dans ce seul mets principal.

FIBRES: Recette: 35 g PAR PORTION: 9 g

ROUELLES

1	oignon moyen haché
1	branche de céleri en dés
15 ml	d'huile d'arachide
250 ml	de riz brun cuit,
250 ml	de pois chiches cuits réduits en purée
125 ml	de graines de sésame, broyées au mélangeur
125 ml	de fromage suisse râpé
125 ml	de tomates en conserve sel et poivre au goût
1	pincée de basilic
1	pincée de sauge
15 ml	d'huile d'arachide

SAUCE AUX NOIX

250 ml	d'arachides rôties à sec, non salées (ou autres variétés de noix)*
1	oignon moyen haché finement
2	pointes d'ail écrasées
15 ml	d'huile d'arachide
15 ml	de sauce forte au piment (ou 2 piments forts hachés)
30 ml	de sauce soya naturelle (tamari)
2 ml	de gingembre frais râpé
30 ml	de noix de coco râpée
500 ml	de bouillon de poulet maison ou d'eau

Mode de préparation

1. Faire revenir dans l'huile, l'oignon et le céleri jusqu'à transparence.
2. Dans la jarre du mélangeur, mêler intimement le riz brun cuit, les pois chiches écrasés, les graines de sésame moulues, le fromage râpé et les tomates en conserve.
3. Incorporer le mélange d'oignon et de céleri.
4. Assaisonner de sel, de poivre, de basilic et de sauge, goûter et rectifier l'assaisonnement si nécessaire.
5. Façonner 8 rouelles.
6. Frire à feu vif dans 15 ml d'huile, 2 minutes chaque côté.
7. Servir avec la sauce aux noix bien chaude.

* On peut substituer aux arachides, la moitié moins de beurre d'arachide «croquant».

RENDEMENT:
8 rouelles ou 4 portions.

Sauce aux noix

1. Moudre les arachides ou les noix.
2. Chauffer l'huile dans une casserole épaisse.
3. Y faire revenir l'oignon, l'ail et les piments jusqu'à ce qu'ils soient ramollis.
4. Ajouter les arachides moulues, la sauce soya, le gingembre, la noix de coco et 250 ml de bouillon de poulet.
5. Faire chauffer jusqu'à ce que le mélange soit lisse et crémeux; remuer constamment.
6. Éclaircir la sauce avec le bouillon de poulet restant jusqu'à ce qu'elle soit coulante mais suffisamment épaisse pour masquer les rouelles.
7. Napper chaque rouelle avec 50 ml de sauce.

RENDEMENT:
500 ml environ, 1 portion = 125 ml.

Sukyaki et algues nori

Un petit goût du Japon: un plat exotique et bien équilibré.

FIBRES: Recette: 30 g	PAR PORTION: 8 g

450 g	de surlonge de boeuf de 2,5 cm d'épaisseur coupé en rubans de 8 à 10 cm de longueur	100 g	(½ boîte) de châtaignes tranchées, égouttées
1	oignon d'Espagne tranché en fines lamelles	4	oignons verts hachés
114 g	de champignons frais tranchés	142 g	(1/2 sac) d'épinards frais déchiquetés en gros morceaux
1	pointe d'ail écrasée		sel et poivre au goût
125 ml	de chou chinois taillé en biseau	45 ml	de sauce soya naturelle (tamari)
50 ml	d'huile de sésame		

Mode de préparation

1. Préparer la viande et la couper en rubans de 8 à 10 cm de longueur.
2. Dans un wok ou un grand poêlon, chauffer 30 ml d'huile et faire sauter à feu vif l'oignon quelques minutes.
3. Ajouter le boeuf et saisir rapidement pour le dorer de tous côtés, repousser la viande au bord du poêlon.
4. Ajouter le reste de l'huile et faire dorer les champignons, l'ail, le chou chinois et les châtaignes.
5. Ramener les légumes au bord avec la viande et ajouter les oignons verts et les épinards au centre. Remuer vivement.
6. Saler et poivrer; couvrir et réchauffer le tout 2 minutes ou jusqu'à ce que les épinards soient cuits.
7. Arroser de sauce soya; bien mêler et servir immédiatement sur des algues nori chaudes.

RENDEMENT :
4 portions de 300 ml ou 140 g.

ALGUES NORI

8 à 10   feuilles
600 ml   d'eau fraîche

15 ml   d'huile de sésame
45 ml   de sauce soya naturelle (tamari)

Mode de préparation

1. Bien laver les feuilles en les rinçant à l'eau plusieurs fois.
2. Faire tremper les algues dans l'eau fraîche une heure ou jusqu'à ce qu'elles soient bien gonflées ; égoutter et conserver l'eau de trempage.
3. Faire cuire les feuilles dans l'huile de sésame pendant 20 minutes à feu moyen. Remuer.
4. Ajouter l'eau de trempage et laisser mijoter 30 minutes.
5. Assaisonner avec la sauce soya, couvrir et laisser cuire encore 10 minutes.
6. Servir comme accompagnement du sukyaki.

Moussaka à la grecque

La cuisine grecque: simple et bien dosée.

FIBRES: Recette: 34 g	PAR PORTION: 8 g

1	aubergine moyenne (500 g)	1 ml	de poivre frais moulu
50 ml	d'huile d'olive	2 ml	de basilic
1	oignon haché finement	298 ml	de sauce tomate en conserve
1	pointe d'ail écrasée	60 ml	de fromage parmesan frais, râpé
450 g	d'agneau maigre haché	2	tomates moyennes, tranchées
1	courgette zucchini tranchée (180 g)	180 ml	de chapelure fraîche de blé entier
50 ml	de persil frais haché	60 ml	de farine de blé entier
1	tige de céleri en dés	2	oeufs battus légèrement
10	gros champignons émincés	125 ml	de yogourt nature
2 ml	de sel		

Mode de préparation

1. Peler et couper l'aubergine en tranches épaisses de 1 cm.
2. Saupoudrer chaque tranche avec du sel, les empiler et les laisser reposer 10 minutes.
3. Bien les rincer et les assécher.
4. Faire chauffer 30 ml d'huile d'olive dans un grand poêlon à fond plat; y faire dorer ¼ des tranches d'aubergine des deux côtés.
5. Les égoutter sur un papier absorbant. Faire dorer ainsi toutes les tranches et les mettre de côté.
6. Dans le même poêlon, faire dorer l'oignon et l'ail jusqu'à transparence.
7. Y ajouter l'agneau et faire cuire pendant 5 minutes en remuant à la fourchette jusqu'à ce que la viande ait perdu sa crudité.
8. Ajouter la courgette, le persil, le céleri et les champignons.
9. Couvrir et laisser cuire 5 minutes ou jusqu'à tendreté des légumes.
10. Ajouter le sel, le poivre, le basilic et la sauce tomate; bien mélanger, couvrir et laisser mijoter sur feu doux 3 minutes.
11. Disposer le tiers des tranches d'aubergine dans le fond d'un plat à four de 2 *l*; recouvrir de la moitié du mélange de l'agneau.
12. Saupoudrer de la moitié du fromage parmesan.
13. Recouvrir avec le deuxième tiers des tranches d'aubergine.
14. Verser le reste du mélange d'agneau sur le tout et saupoudrer le reste du fromage parmesan sur toute la surface.
15. Garnir le dessus avec les dernières tranches d'aubergine et les tranches de tomate, empiétant les unes sur les autres et disposer en couronne tout autour du plat.

16. Faire chauffer les 20 ml d'huile qui restent et y faire revenir la chapelure; réserver.

17. Battre la farine de blé entier avec les oeufs jusqu'à ce que le mélange soit lisse.

18. Ajouter le yogourt et fouetter le mélange.

19. Verser sur le plat à cuire; disperser la chapelure également sur toute la surface.

20. Mettre au four à 180° C pendant 20 minutes ou jusqu'à ce que le dessus soit doré.

NOTE: Servir ce plat accompagné d'une salade verte et de pain à l'ail grillé.
Pour une moussaka végétarienne, substituer du fromage mozzarella râpé à la viande; le saupoudrer sur la sauce tomate entre chaque rang et sur le dessus avant de garnir de chapelure.

RENDEMENT:
4 portions de mets principal (150 g environ).

Cigares au chou rouge

De délicieux petits rouleaux que les enfants seront intéressés à préparer.

FIBRES : Recette : 34 g   PAR PORTION : 8 g

1	chou rouge (500 g)
15 ml	de jus de citron
500 g	d'agneau haché
1	oignon moyen haché
125 ml	de riz brun non cuit
125 ml	de noisettes hachées
1	oeuf moyen battu légèrement
15 ml	d'huile
1 ml	de thym
2 ml	de sel
1	pincée de poivre
500 ml	de tomates en conserve
15 ml	de persil haché
1	feuille de laurier
30 ml	de farine
30 ml	de beurre mou

Mode de préparation

1. Détacher la base du chou pour en dégager les feuilles.
2. Laver les feuilles et les placer dans une grande casserole.
3. Les recouvrir d'eau bouillante et ajouter le jus de citron.
4. Les retirer après 5 minutes et les laisser refroidir.
5. Dans un grand bol, défaire la viande avec une fourchette.
6. Faire revenir l'oignon dans l'huile jusqu'à ce qu'il soit translucide.
7. Ajouter à la viande, l'oignon cuit, le riz, les noisettes hachées et l'oeuf battu.
8. Remuer à fond pour bien lier tous les ingrédients.
9. Ajouter le thym, le sel et le poivre; remuer à nouveau et former de petites boules de 25 ml avec le mélange de viande.
10. Déposer chaque boule sur une feuille de chou et rouler; fixer chaque cigare à l'aide de cure-dents.
11. Placer les rouleaux dans un plat à four assez grand pour ne former qu'une seule couche de rouleaux; mettre en attente.
12. Dans une casserole, chauffer les tomates en conserve avec le persil et la feuille de laurier.
13. Faire une pâte avec le beurre et la farine; l'ajouter par petites quantités, tout en brassant, aux tomates chaudes.
14. Cuire, en brassant lentement jusqu'à épaississement.
15. Verser sur les cigares au chou; retirer la feuille de laurier.
16. Cuire dans un four préchauffé à 180° C, 1 heure, recouvert d'un papier d'aluminium (s'assurer que tous les rouleaux sont recouverts de sauce).
17. Retirer du four et laisser reposer quelques minutes avant de servir. Déguster avec un légume vert chaud.

RENDEMENT :
4 portions de 125 g.

Truites arc-en-ciel à l'avocat

Quelle meilleure façon de consommer ce fruit au goût exquis et moelleux! Ce mets coloré est digne d'un buffet.

FIBRES : Recette : 16 g   PAR PORTION : 8 g

2	truites arc-en-ciel	
	nettoyées et dégelées	
1	gros oignon espagnol émincé	
5 ml	de sel	
2 ml	de grains de poivre	
1	feuille de laurier	
5 ml	de thym	
	le jus de 2 citrons	
2 *l*	d'eau	

GARNITURE

2	gros concombres grossièrement pelés et taillés en bâtonnets
2	gros avocats bien mûrs pelés et écrasés à la fourchette
	le jus d'un citron
250 ml	de yogourt nature
15 ml	de mayonnaise
5 ml	de moutarde forte
1	goutte de sauce tabasco
3	oignons verts hachés fin
	sel et poivre au goût
1	poivron rouge en lanières
10	olives noires tranchées
15 ml	de cerfeuil haché

Mode de préparation

1. Préparer un court-bouillon avec l'eau, l'oignon émincé, le sel, le poivre, le laurier, le thym et le jus de citron.

2. Faire mijoter 45 minutes.

3. Envelopper les poissons dans du coton à fromage et les déposer dans le court-bouillon.

4. Laisser mijoter à feu doux 30 minutes ou jusqu'à ce que la chair du poisson soit opaque et s'effeuille à la fourchette.

5. Retirer du court-bouillon et faire refroidir les truites au réfrigérateur plusieurs heures (toute une nuit, si possible).

6. Retirer le coton à fromage et enlever la peau délicatement pour ne pas briser la chair.

7. Placer les bâtonnets de concombre dans une assiette et les saler légèrement.

8. Les laisser dégorger (rendre leur eau) pendant la préparation de la garniture.

9. Dans un bol, écraser la chair des avocats et l'arroser de jus de citron pour l'empêcher de noircir.

10. Ajouter le yogourt, la mayonnaise, la moutarde, la sauce tabasco et les oignons verts.

11. Bien mélanger le tout au mélangeur pour obtenir une pâte lisse.

12. Assaisonner et goûter. Rectifier l'assaisonnement si nécessaire.

13. Recouvrir les poissons d'une épaisse couche de ce mélange. Décorer d'olives noires tranchées et de lanières de poivron rouge.

14. Égoutter, rincer et assécher les bâtonnets de concombre.

15. Les disposer autour des deux truites et les napper du reste de sauce à l'avocat.

16. Saupoudrer de cerfeuil haché.

17. Servir immédiatement ou réfrigérer, hermétiquement recouvert, jusqu'au moment de déguster.

NOTE: Servir ce plat accompagné de pain croûté à l'ail et d'une salade de verdures au goût.

RENDEMENT:
2 à 3 portions (selon la grosseur des truites).

Trempette de haricots frits
(Frijoles refritos)

Un mélange très épicé populaire dans les pays latins.

FIBRES : Recette : 48 g   PAR PORTION : 8 g

450 g	de haricots pinto secs (ou bruns)	15 ml	de poudre de chili
1,25 *l*	d'eau fraîche	5 ml	de cumin moulu
2	oignons hachés finement	25 ml	d'huile
1	pointe d'ail écrasée	125 ml	ou plus du liquide de cuisson
2 ml	de sel	125 ml	de beurre fondu
1 ml	de poivre noir	250 ml	de fromage fort râpé (facultatif)

Mode de préparation

1. Faire tremper les haricots dans 1,25 *l* d'eau froide toute une nuit.

2. Cuire les oignons hachés et l'ail avec le sel, le poivre, la poudre de chili et le cumin dans l'huile, à feu doux, jusqu'à tendreté. Réserver.

3. Égoutter les haricots, les recouvrir d'eau fraîche et les amener à ébullition ; réduire la chaleur et laisser mijoter à feu doux lentement jusqu'à ce que les haricots soient tendres à la fourchette (environ 2 heures).

4. Égoutter les haricots et conserver le liquide de cuisson.

5. Ajouter le mélange d'oignons et broyer les haricots par petites quantités avec 125 ml du liquide de cuisson dans un robot culinaire ou un mélangeur électrique.

6. Lorsque le mélange est en purée lisse, ajouter le beurre fondu et bien remuer pour l'incorporer.

7. Réchauffer ce mélange à feu doux en remuant constamment pendant 5 minutes.

8. Goûter et rectifier l'assaisonnement si nécessaire.

9. Saupoudrer de fromage râpé, si désiré, et gratiner au four à 180°C une quinzaine de minutes.

10. Déguster telle quelle accompagnée de croustilles de maïs ou en sandwich dans des coquilles taco ou sur des tortillas bien chaudes.

NOTE : Ce mélange se conserve 2 jours, hermétiquement recouvert, au réfrigérateur et se prépare à l'avance pour gagner du temps.

RENDEMENT :
750 ml ou 6 portions de 125 ml.

Crevettes et thon au cari sur lit de riz brun

Un plat oriental à essayer lors de votre prochaine réception.

FIBRES : Recette : 53 g   PAR PORTION : 7 g

184 g	(2 boîtes) de thon pâle égoutté, en morceaux	1	blanc d'oeuf
114 g	(2 boîtes) de crevettes à cocktail égouttées	30 ml	de fécule de maïs
		45 ml	de sherry
10 ml	de poudre de cari	30 ml	d'huile
250 ml	de jus d'orange frais	500 ml	de céleri coupé diagonalement en gros morceaux
	le zeste d'une orange		
85 ml	de miel clair	2	oignons moyens coupés en demi-lune
90 ml	d'eau froide		
5 ml	de moutarde préparée	1	gros poivron vert coupé en fines lamelles
30 ml	de fécule de maïs		
2	grosses oranges pelées, en quartiers	284 ml	(1 boîte) de champignons entiers, égouttés
		284 ml	(1 boîte) de pousses de bambou, égouttées
		284 ml	(1 boîte) de châtaignes, égouttées
		1 *l*	de riz brun cuit

Mode de préparation

1. Mettre le thon et les crevettes dans un plat et saupoudrer de poudre de cari ; réserver.
2. Déposer dans une casserole le jus et le zeste d'orange, le miel, la fécule délayée dans l'eau froide avec la moutarde.
3. Amener au point d'ébullition en remuant constamment et laisser mijoter à feu doux, couvert, pendant 10 minutes.
4. Incorporer délicatement le thon, les crevettes et les quartiers d'orange dans la sauce épaissie.
5. Fermer le feu et laisser en attente bien couvert.
6. Mélanger la fécule de maïs au blanc d'oeuf et au sherry ; réserver.
7. Faire chauffer l'huile dans un wok ou une grande sauteuse à feu vif (de préférence un plat allant du four à la table).
8. Ajouter le céleri, les oignons, le poivron vert et remuer pour faire prendre couleur aux légumes.
9. Ajouter les champignons et faire sauter 2 minutes ou jusqu'à ce qu'ils soient bien dorés.
10. Incorporer les pousses de bambou, les châtaignes et faire frire environ 4 minutes. Remuer constamment.
11. Couvrir, baisser le feu et laisser réchauffer 2 à 3 minutes.
12. Remuer le mélange fécule de maïs-blanc d'oeuf-sherry ; verser sur les légumes et remuer quelques secondes pour enrober tous les ingrédients.

13. Ramener les légumes sur les bords du wok et remplir le centre avec le mélange de thon et de crevettes au cari (si désiré, regrouper les légumes par variété pour un meilleur effet des couleurs).

14. Passer au four à 150°C pour garder chaud jusqu'au moment du service.

15. Déguster ce mets accompagné de riz brun ou de riz sauvage cuit à la vapeur.

RENDEMENT:
8 portions généreuses (236 g environ).

Salade croque-nature

Une succulente salade-repas très colorée à préparer à l'avance pour harmoniser les saveurs et développer le goût : un heureux choix pour un souper estival.

FIBRES : Recette : 35 g   PAR PORTION : 6 ou 9 g

250 ml de flageolets cuits et refroidis	1 pomme verte coupée en tranches minces
125 ml de riz brun cuit et refroidi	1 grosse banane tranchée
250 ml d'ananas en cubes	25 ml de jus de citron
125 ml de raisins rouges sans pépins	30 ml de noix hachées
125 ml de billes de melon cantaloup	125 ml de noix de coco râpée
125 ml de bleuets frais ou congelés (ou mûres sauvages)	5 ml de ciboulette fraîche émincée quelques feuilles de verdures fraîches et croustillantes

Mode de préparation

1. Dans un grand bol, déposer les flageolets et le riz brun refroidis.
2. Ajouter l'ananas, les raisins, le melon, les bleuets selon l'ordre indiqué.
3. Asperger de jus de citron les tranches de pomme et de banane pour prévenir leur brunissement. Les ajouter aux autres ingrédients.
4. Mélanger tous les ingrédients délicatement en les soulevant avec deux fourchettes.
5. Incorporer les noix hachées, la noix de coco et la ciboulette fraîche.
6. Remuer à nouveau sans écraser les ingrédients.
7. Couvrir le bol d'une pellicule plastique et réfrigérer plusieurs heures.
8. Au moment de servir, enrober tous les ingrédients de la salade avec la sauce suivante :
9. Délayer 30 ml de mayonnaise avec une égale quantité de crème sure ou de yogourt nature.
10. Ajouter une pincée de poudre de chili et de moutarde sèche ; bien remuer et arroser toute la surface de la salade avec cette sauce.
11. Remuer délicatement pour bien lier le tout.
12. Disposer des feuilles de verdures fraîches et croustillantes sur une grande assiette de service.
13. Étaler la salade sur les feuilles et décorer au goût.

RENDEMENT :
6 portions d'entrée de 200 ml environ.
4 portions de 300 ml de mets principal,
si complété par une autre source de protéines
(ex. : fromage cottage.)

Feuilletés Bricks avec sauce macédoine

(chaussons au poulet et fromage)

Un feuilleté exotique ultra-léger et au goût très fin.

FIBRES : Recette : 36 g   PAR PORTION : 6 g

FEUILLETÉS

250 ml	d'oignons hachés fin	2 ml	de sel
125 ml	de céleri en petits dés	1	pincée de poivre
25 ml	de beurre	2 ml	d'estragon
284 ml	(1 boîte) de coeurs	25 ml	de persil frais haché
	d'artichauts, égouttés	2	oeufs moyens légèrement battus
250 ml	de poulet cuit en dés	10	feuilles de pâte phyllo
250 ml	de fromage tofu émietté	125 ml	de beurre fondu clarifié
125 ml	de fromage parmesan frais râpé		quelques bouquets de persil
50 ml	de chapelure fraîche de blé	500 ml	de sauce macédoine
	entier (ou pain de blé entier émietté)		

Mode de préparation

1. Sauter oignons et céleri dans le beurre pour les faire ramollir.

2. Ajouter les coeurs d'artichauts égouttés et remuer sur feu moyen jusqu'à ce qu'ils soient secs.

3. Retirer du feu et incorporer le poulet cuit, les fromages et la chapelure.

4. Bien mélanger les ingrédients; ajouter le sel, le poivre, l'estragon et le persil et laisser refroidir un peu.

5. Ajouter les oeufs battus et brasser pour mêler intimement tous les ingrédients.

6. Badigeonner 5 feuilles de pâte phyllo de beurre fondu clarifié et les superposer.

7. Couvrir les autres feuilles avec du papier ciré et un linge humide.

8. Étendre la moitié du mélange de poulet et fromage sur le dessus des 5 feuilles jusqu'à 5 cm des côtés les plus longs et à 2 cm du bas.

9. Replier les deux côtés les plus longs de 5 cm et rouler du bas vers le haut comme pour un gâteau roulé.

10. Disposer le roulé sur une plaque huilée, rebord en bas.

11. Badigeonner de beurre fondu clarifié.

12. Répéter les étapes 6 à 11 pour le second roulé en utilisant le mélange de poulet restant.

13. Cuire dans un four préchauffé à 180° C pendant 35 minutes environ ou jusqu'à ce que les roulés soient dorés.

14. Décorer de bouquets de persil et servir avec la sauce macédoine.

RENDEMENT:
6 portions ou 1/3 de roulé.

SAUCE MACÉDOINE

30 ml	de beurre mou		150 ml	de pois congelés cuits
30 ml	de farine		150 ml	de carottes cuites, en dés
250 ml	de lait frémissant		284 ml	(1 boîte) de maïs
250 ml	de bouillon de poulet chaud			en grains, égoutté

Mode de préparation

1. Faire un roux avec le beurre et la farine.
2. Ajouter le bouillon de poulet au lait.
3. Incorporer le roux par petites quantités aux liquides chauds.
4. Chauffer tout en remuant, sur feu moyen, jusqu'à épaississement.
5. Ajouter ensuite les pois, les carottes et le maïs, tout en remuant pour bien les incorporer.
6. Couvrir et faire réchauffer à fond sur feu très doux, environ 5 minutes.
7. Remuer de temps à autre.
8. Napper chaque portion de roulé feuilleté avec la sauce macédoine.

RENDEMENT:
500 ml ou environ 80 ml par portion.

Porc Suey à l'orientale

Un heureux contraste de textures et de saveurs facile à préparer et à manger.

FIBRES : Recette : 23 g   PAR PORTION : 6 g

5 ml	de gingembre frais râpé	500 ml	de chou chinois
1	pointe d'ail écrasée		taillé en lanières
2	petits oignons tranchés	500 ml	de porc cuit en cubes
	en demi-lune	125 ml	de châtaignes en conserve
1	poivron vert moyen coupé		égouttées, tranchées
	en lanières	45 ml	de sauce tamari (soya)
30 ml	d'huile	1 ml	de poivre frais moulu
10	gros champignons frais émincés	500 ml	de germes de haricots cuits

Mode de préparation

1. Sauter le gingembre râpé et l'ail dans l'huile chaude pendant 1 minute.
2. Ajouter les oignons et le poivron vert; cuire à feu vif en brassant constamment jusqu'à ce que les oignons soient légèrement dorés et transparents (environ 3 minutes).
3. Secouer le poêlon ou le wok pour éviter que les légumes adhèrent au fond.
4. Ajouter les champignons, le chou chinois et le porc en cubes.
5. Remuer à feu vif pour faire prendre couleur à la viande et aux légumes (soulever les ingrédients avec deux fourchettes ou deux baguettes). Ajouter un peu d'huile si nécessaire.
6. Incorporer les châtaignes et la sauce tamari.
7. Poivrer, réduire la chaleur et cuire de 10 à 15 minutes en remuant de temps en temps.
8. Goûter et rectifier l'assaisonnement si nécessaire.
9. Ajouter les germes de haricots et laisser réchauffer environ 10 minutes ou jusqu'à ce que tous les légumes soient tendres mais encore croquants.
10. Ajouter plus de sauce soya si désiré et servir sur un lit de riz cuit à l'étuvée.

NOTE : 1 portion de riz (125 ml) donne 1,4 g de fibres.

RENDEMENT :
4 portions de 300 ml.

Macaro-chili

Un mets réconfortant qui nourrit bien l'esprit.

FIBRES: Recette: 38 g   PAR PORTION: 6 g

250 ml	d'oignons hachés	1	pincée de poivre de Cayenne
2	branches de céleri hachées	5 ml	d'herbes mélangées (origan,
2	pointes d'ail écrasées		estragon, persil)
25 ml	d'huile	156 ml	(1 boîte) de pâte de tomates
250 g	de boeuf haché mi-maigre	750 ml	de bouillon de boeuf
25 ml	de poudre de chili	500 ml	de macaroni de blé
2 ml	de sel		entier, non cuit
2 ml	d'origan	540 ml	de haricots rouges cuits égouttés
1 ml	de poivre	2	tranches de pain de blé entier
			grillées et découpées en cubes
			fromage parmesan râpé

Mode de préparation

1. Sauter les oignons, le céleri et l'ail dans l'huile chaude, jusqu'à ce qu'ils soient transparents mais non brunis.

2. Ajouter le boeuf haché et remuer avec une fourchette jusqu'à ce qu'il soit bruni.

3. Retirer l'excédent de gras et ajouter la poudre de chili, le sel, l'origan, le poivre de Cayenne et les herbes mélangées.

4. Incorporer la pâte de tomates tout en brassant et bien mélanger.

5. Ajouter le bouillon de boeuf (maison, en conserve dilué ou préparé avec des cubes de bouillon reconstitué).

6. Porter à ébullition. Couvrir à demi et laisser mijoter 30 minutes à feu doux; remuer fréquemment.

7. Faire cuire les pâtes dans une grande quantité d'eau; les égoutter et bien les rincer.

8. Ajouter les haricots rouges cuits au mélange de viande et cuire 15 minutes de plus.

9. Ajouter les pâtes cuites bien rincées à l'eau chaude et réchauffer encore 10 minutes.

10. Servir accompagné de fromage parmesan râpé, de croûtons assaisonnés et gratiner au four quelques minutes à 180° C.

RENDEMENT:
6 portions de 375 ml.

Moules farcies aux amandes

Ce mets qui s'inspire de la « nouvelle cuisine » est parfait pour les fins gourmets.

FIBRES : Recette : 24 g   PAR PORTION : 6 g

16	grosses moules très fraîches (bien fermées)	2 ml	de marjolaine
1	oignon moyen émincé	30 ml	de raisins de Corinthe
170 ml	de vin blanc sec	15 ml	de persil frais haché
50 ml	d'huile d'olive	1 ml	de sel
6	oignons verts hachés fin	1 ml	de poivre frais moulu
125 ml	de riz brun non cuit	30 ml	de beurre
250 ml	d'eau bouillante	1	pointe d'ail écrasée
60 ml	d'amandes hachées grossièrement	30 ml	d'amandes hachées supplémentaires
		1	citron en quartiers
		1	bouquet de persil

Mode de préparation

1. Laver les moules à l'eau froide ; jeter celles qui sont déjà ouvertes.
2. Frotter les moules les unes contre les autres pour enlever la terre et les barbes.
3. Mettre dans une grande casserole, ajouter l'oignon émincé et le vin.
4. Couvrir et cuire à feu doux pendant 8 minutes environ ou jusqu'à ce qu'elles soient ouvertes ; jeter celles qui n'ouvrent pas. Mettre de côté. Réserver le liquide de cuisson.
5. Faire revenir les oignons verts dans l'huile chaude à feu vif.
6. Incorporer le riz, remuer à la fourchette à feu moyen pendant environ 3 minutes ou jusqu'à ce que le riz soit doré et opaque.
7. Réduire la chaleur, ajouter l'eau bouillante, les amandes, la marjolaine, les raisins secs, le persil, le sel et le poivre.
8. Couvrir et laisser mijoter lentement 15 minutes ou jusqu'à ce que le riz soit tendre mais encore croquant. (Le liquide doit être complètement absorbé.)
9. Farcir chacune des moules du mélange de riz ; refermer et attacher chacune avec un fil.
10. Les déposer sans les empiler côte à côte dans un plat à four peu profond. Éviter de les déplacer.
11. Faire réduire de moitié le liquide de cuisson des moules à feu vif.
12. Ajouter le beurre, l'ail écrasé et les amandes supplémentaires.
13. Faire réduire à feu vif jusqu'à ce qu'il n'y ait plus que 50 ml de liquide.
14. Verser ce mélange sur les moules.

15. Faire cuire dans un four préchauffé à 180°C jusqu'à ce que les moules soient bien chaudes (environ 20 minutes).
16. Retirer du four et enlever les fils.
17. Servir avec des quartiers de citron et garnir de persil.

NOTE: Déguster ce plat principal avec une salade verte au choix, garnie de tomates cerises.
Fibres: 250 ml de verdure plus 2 tomates donnent 2 g.

RENDEMENT:
4 portions (4 moules par portion).

Casserole de brocoli au fromage

Ce mets agréablement épicé est parfait pour un souper léger.

FIBRES : Recette : 25 g   PAR PORTION : 6 g

500 g	de brocoli
125 ml	de fromage tofu aux fines herbes en cubes (ou autres variétés)
125 ml	de fromage romano frais râpé (ou parmesan)

SAUCE

1	oignon espagnol tranché mince
1	pointe d'ail, pelée
60 ml	d'huile végétale (soya)
15 ml	de câpres (facultatif)
6	grosses olives noires dénoyautées, hachées
10	champignons frais tranchés
125 ml	de bouillon de légumes (préparé avec des restes de légumes)

Mode de préparation

1. Défaire le brocoli en tiges d'égale grosseur.
2. Séparer la tige en morceaux égaux de 1 cm et détacher les fleurs en petits bouquets.
3. Faire cuire à la vapeur 10 minutes environ ou jusqu'à ce que les morceaux soient tendres et encore croquants.
4. Pour la sauce, faire revenir l'oignon et l'ail dans l'huile, jusqu'à ce qu'ils soient tendres, mais non dorés.
5. Ajouter les câpres, les olives et les champignons.
6. Cuire quelques minutes à feu vif, ajouter le bouillon de légumes, réduire la chaleur et faire mijoter, sans couvrir pendant 10 minutes.
7. Retirer et jeter l'ail.
8. Placer le brocoli dans un plat à four et le mélanger avec la sauce.
9. Ajouter le fromage tofu en cubes, et mélanger le tout.
10. Saupoudrer du fromage romano râpé.
11. Placer sous le gril pendant quelques minutes ou jusqu'à ce que ce soit légèrement doré et bien chaud.
12. Servir sans délai avec du pain de blé entier et du beurre doux.

RENDEMENT :
4 portions de 114 g.

Salade piquante aux 3 légumineuses

Une salade idéale pour la boîte à lunch ou le pique-nique

FIBRES : Recette : 35 g	PAR PORTION : 6 g

125 ml	de haricots bruns secs	500 ml	(100 g) de germes de luzerne
125 ml	de haricots de Lima secs		verdures croustillantes
125 ml	de lentilles brunes sèches		
1	oignon rouge coupé en quartiers	**VINAIGRETTE**	
2	pointes d'ail écrasées	30 ml	d'huile de tournesol
2	bouquets garnis (thym, persil, feuille de laurier)	15 ml	de vinaigre de vin
		5 ml	de moutarde forte
2	clous de girofle	1 ml	d'estragon
4	oignons verts hachés finement	1 ml	de sarriette
30 ml	de persil frais haché	2 ml	de ciboulette fraîche
60 ml	de céleri en petits dés	1 ml	de sel
		1 ml	de poivre noir frais moulu

Mode de préparation

1. Faire tremper les haricots dans l'eau bouillante pendant 1 heure (ou dans l'eau froide toute une nuit).
2. Égoutter les haricots, les faire cuire séparément dans de l'eau fraîche (environ 600 ml) avec les quartiers d'oignon, l'ail, les bouquets garnis et les clous de girofle.
3. Les laisser mijoter 45 minutes seulement ; les égoutter, jeter les herbes et les légumes ; mettre de côté.
4. Cuire les lentilles dans 500 ml d'eau fraîche jusqu'à tendreté, environ 30 minutes ; les égoutter et réserver.
5. Dans un petit bol, délayer la moutarde avec le vinaigre ; verser l'huile sur ces ingrédients, goutte à goutte, tout en remuant avec un fouet sans arrêt.
6. Mettre ensemble l'estragon, la sarriette, la ciboulette, le sel et le poivre et incorporer le mélange à la vinaigrette.
7. Fouetter la vinaigrette vigoureusement pendant 1 minute et la verser dans un grand saladier.
8. Ajouter les haricots, les lentilles, les oignons verts, le céleri, le persil et les germes de luzerne.
9. Remuer le tout en soulevant les ingrédients avec deux fourchettes jusqu'à ce que tous les légumes apparaissent lustrés et bien enrobés de vinaigrette.
10. Déposer au réfrigérateur au moins 1 heure pour macérer et laisser attendrir les légumineuses.
11. Déguster sur un lit de verdures croustillantes.

NOTE : Les légumineuses peuvent être cuites à l'avance ; cette salade gagne à être préparée la veille et elle se conserve bien 2 ou 3 jours au réfrigérateur. Elle constitue un plat de résistance rafraîchissant.

RENDEMENT :
6 portions de 250 ml.

DAL (Masoor Ki Dhal)

Un mélange épicé de lentilles, cuit dans une sauce épaisse

FIBRES: Recette: 12 g	PAR SANDWICH: 6 g

250 g	de lentilles sèches	25 ml	d'huile
1 *l*	d'eau	250 ml	d'oignons hachés finement
2 ml	de curcuma	5 ml	de graines de cumin
1 ml	de poivre de Cayenne	5 ml	de piment fort broyé
5 ml	de sel	15 ml	de persil frais haché

Mode de préparation

1. Laver et trier les lentilles. Combiner les lentilles, l'eau, le curcuma, le poivre de Cayenne et le sel dans une casserole de 2 *l*.

2. Amener à ébullition; réduire la chaleur et laisser mijoter jusqu'à tendreté (30 à 40 minutes); les lentilles doivent s'écraser à la fourchette.

3. Sauter les oignons, le cumin et le piment broyé dans l'huile chaude jusqu'à ce que l'oignon soit transparent et légèrement doré.

4. Ajouter le mélange d'oignons aux lentilles, puis laisser mijoter tout en remuant fréquemment, jusqu'à consistance épaisse.

5. Garnir de persil et servir immédiatement avec du pain chapati (pain de blé entier sans levain, populaire chez les Indiens et les Pakistanais) ou en sandwich dans du pain pita de blé entier.

NOTE: 1 tranche de chapati (50 g) donne 2 g de fibres, 1 pochette de pain pita de blé entier donne 4 g de fibres, 1 pochette de pain pita avec une portion de DAL donne 6 g de fibres.

RENDEMENT:
750 ml ou 6 portions de 125 ml.

Salade de lentilles marinées

Colorée et rafraîchissante, elle est idéale pour les repas en plein air.

FIBRES: Recette: 21 g   PAR PORTION: 5 g

250 ml	de lentilles rouges sèches
750 ml	d'eau froide
5 ml	de sel
1 ml	de poivre
1	bouquet garni
250 ml	de champignons tranchés
80 ml	de poivron vert haché
4	oignons verts
1	pointe d'ail écrasée
1	tomate pelée, épépinée et hachée grossièrement
50 ml	de persil frais haché

400 g	de verdure déchiquetée (laitue romaine) en gros morceaux
4	oeufs cuits durs
15 ml	de câpres ou d'olives farcies hachées

MARINADE

50 ml	d'huile d'arachide
50 ml	de vinaigre de vin rouge
5 ml	de moutarde forte
2 ml	d'origan
2 ml	de sel
1 ml	de poivre

Mode de préparation

1. Laver et trier les lentilles; les placer dans une casserole avec l'eau.
2. Amener à ébullition, écumer puis saler et poivrer.
3. Ajouter le bouquet garni; baisser le feu, couvrir et laisser mijoter jusqu'à ce que les lentilles soient tendres mais fermes (5 à 10 minutes).
4. Égoutter, retirer le bouquet garni et réfrigérer pendant la préparation des légumes.
5. Combiner les lentilles refroidies avec les champignons, le poivron vert, les oignons, l'ail, la tomate et le persil.
6. Soulever pour mêler délicatement tous les légumes.
7. Pour préparer la marinade, fouetter ensemble, dans un grand bol profond, l'huile, le vinaigre, la moutarde, l'origan, le sel et le poivre.
8. Mêlez-y les lentilles et les légumes, bien remuer avec deux fourchettes pour enrober tous les ingrédients.
9. Refroidir 3 heures ou toute une nuit.
10. Servir sur un lit de laitue romaine entourée, si désiré, de tranches d'oeufs cuits durs et d'olives.

NOTE: feuilles de laitue déchiquetée (100 g) donnent 1,5 g de fibres.

RENDEMENT:
4 portions de 250 ml.

Aspic printanier aux légumes

Un hors-d'oeuvre splendide qui vous vaudra la réputation de cordon-bleu.

FIBRES: Recette: 82 g	PAR PORTION: 10 g

A. MÉLANGE AUX CHAMPIGNONS

125 ml	de haricots rouges secs
375 ml	d'eau
1 ml	de sel
1	feuille de laurier
125 ml	d'oignons verts hachés
10	gros champignons frais émincés
1	pointe d'ail écrasée
30 ml	d'huile de tournesol
10 ml	de jus de citron frais
30 ml	de persil frais haché
2 ml	de feuilles d'estragon
	sel et poivre au goût
2	tranches de pain de blé entier
1	enveloppe de gélatine neutre
50 ml	d'eau froide
2	oeufs moyens battus

B. MÉLANGE AUX POIS ET AUX FANES

540 ml	(1 boîte) de petits pois en conserve, égouttés
500 ml	de fanes de légumes (bette, épinards, navet, etc.) cuites à la vapeur
1	enveloppe de gélatine neutre
2	tranches de pain de blé entier
50 ml	d'eau froide
2	oeufs moyens battus
50 ml	de ciboulette fraîche émincée
1 ml	de poivre noir moulu
50 ml	de noix hachées (pignes)

C. LÉGUMES FRAIS CUITS À LA VAPEUR

250 ml	de courgettes coupées sur la longueur
125 ml	de poivron rouge en lanières minces
250 ml	de carottes en bâtonnets de 1 cm d'épaisseur
250 ml	de haricots de Lima frais
250 ml	de bouquets de brocoli

Mode de préparation

1. Cuire les légumes frais à la vapeur pour les attendrir un peu (ils doivent être croquants mais tendres).
2. Dès que refroidis, les déposer au réfrigérateur.

MÉLANGE A

3. Faire tremper les haricots rouges toute la nuit dans une grande quantité d'eau froide.
4. Les égoutter et les mettre dans une casserole avec 375 ml d'eau froide; ajouter le sel et la feuille de laurier.
5. Cuire à feu doux jusqu'à tendreté, environ 40 minutes.
6. Retirer la feuille de laurier et égoutter les haricots.
7. Chauffer l'huile dans un grand poêlon et y faire revenir les oignons et l'ail jusqu'à transparence.

8. Ajouter les champignons et les faire dorer à feu vif tout en remuant pour éviter qu'ils ne collent au fond du poêlon.
9. Asperger de jus de citron et assaisonner au goût; ajouter le persil et l'estragon.
10. Réduire les haricots en purée avec le mélange des champignons dans la jarre du mélangeur électrique.
11. Émietter les 2 tranches de pain et les couvrir d'eau froide.
12. Presser pour en extraire le plus d'eau possible; réserver.
13. Dissoudre la gélatine dans 50 ml d'eau froide et la liquéfier à la chaleur.
14. Ajouter le pain trempé et la gélatine dissoute à la purée de légumes; bien remuer et ajouter les 2 oeufs battus.
15. Battre à haute vitesse pour obtenir une purée lisse et crémeuse; réserver ce mélange.

MÉLANGE B
16. Hacher finement les fanes cuites et les combiner aux petits pois égouttés.
17. Émietter 2 autres tranches de pain et les couvrir d'eau.
18. Presser pour extraire le plus d'eau possible; réserver.
19. Dissoudre la gélatine dans 50 ml d'eau et la liquéfier à la chaleur.
20. Combiner dans la jarre du mélangeur, les fanes, les pois et le pain émietté; tourner pour réduire en purée (si nécessaire, utiliser un peu du liquide de la conserve).
21. Ajouter la gélatine liquide, en filet, tout en tournant à petite vitesse.
22. Incorporer les oeufs battus, la ciboulette, le poivre et battre à haute vitesse pour obtenir une purée lisse.
23. Incorporer les noix; réserver ce mélange.

ASSEMBLAGE
1. Étendre dans un plat à four huilé de 2 l (22,5 sur 12,5 sur 7,5 cm), *la moitié du mélange A: haricots-champignons*.
2. Disposer sur cette purée, les morceaux de courgettes, le côté coupé en dessous et les presser dans le mélange.
3. Placer les lanières de poivron rouge entre les morceaux de courgettes sur le sens de la longueur.
4. Étendre *la moitié du mélange B: aux pois* également à la surface des courgettes et des lanières de poivron.
5. Disposer de façon attrayante les bâtonnets de carottes et les haricots de Lima; les presser dans la garniture.
6. Ajouter la *seconde moitié* du mélange *A: haricots-champignons;* bien l'étaler sur les légumes pour les recouvrir.
7. Répartir les bouquets de brocoli sur la garniture.
8. Terminer en étendant uniformément le *reste du mélange B: aux pois.*
9. Couvrir la surface d'une feuille de papier ciré; placer des haricots secs sur le dessus pour empêcher la feuille de bouger.
10. Recouvrir le moule de papier d'aluminium et le déposer dans un plat plus grand contenant de l'eau bouillante.
11. Cuire dans un four préchauffé à 180° C, pendant 2 heures, ou jusqu'à ce que la lame d'un couteau plongée au centre, en ressorte propre.
12. Laisser refroidir 30 minutes à la température ambiante avant de réfrigérer le plat au moins 8 heures.
13. Démouler lorsque très froid et découper en tranches épaisses.
14. Servir sur un lit de verdure croustillante.

NOTE: Préparer les purées la veille de même que les légumes; assembler et cuire le matin pour servir au souper. Cet aspic se conserve bien 2 jours après la cuisson.

RENDEMENT:
8 portions.

Tarte au panais et aux figues

Cette tarte délicieusement sucrée et épicée est le complément parfait d'un rôti.

FIBRES: Recette: 52 g | PAR PORTION: 9 g

1,5 kg	de panais pelé et coupé en morceaux de 2,5 cm	1 ml	de quatre-épices
30 ml	de beurre	1 ml	de clou de girofle moulu
125 ml	de miel clair	125 ml	de figues sèches hachées (ou pruneaux)
45 ml	de zeste d'orange	1	croûte à tarte de blé entier de 23 cm, partiellement cuite
15 ml	de jus d'orange frais coulé		
2	oeufs moyens légèrement battus	30 ml	de miel supplémentaire
2 ml	de cannelle		

Mode de préparation

1. Cuire les morceaux de panais à la vapeur ou au four micro-ondes jusqu'à ce qu'ils soient tendres (environ 15 minutes à la vapeur).

2. Réduire le panais en purée au mélangeur électrique et mesurer *750 ml* de *purée.*

3. Dans un bol, mélanger la purée de panais avec le beurre, le miel, le zeste et le jus d'orange.

4. Incorporer les oeufs battus, la cannelle, le quatre-épices et le clou de girofle en battant bien avec une cuillère de bois.

5. Ajouter les figues hachées et verser dans une croûte à tarte de 23 cm partiellement cuite.

6. S'assurer de bien lisser la surface et y étaler une mince couche de miel.

7. Cuire au centre du four à 190° C jusqu'à ce que la garniture soit ferme et la surface dorée (50 minutes environ).

8. Servir tiède ou à la température ambiante.

RENDEMENT:
6 à 8 portions.

CROÛTE DE BLÉ ENTIER

240 ml	de farine de blé entier
75 ml	de beurre non salé coupé en petits morceaux
5 ml	de jus de citron frais
30 à 40 ml	d'eau glacée

Mode de préparation

1. Déposer la farine dans un bol et ajouter le beurre en petits morceaux.
2. Presser rapidement le mélange avec les doigts jusqu'à ce que la farine soit grumeleuse et ressemble à de gros flocons d'avoine.
3. Ajouter le jus de citron et 30 ml d'eau glacée et remuer à la fourchette pour former rapidement une boule ferme.
4. Si la pâte paraît encore sèche, ajouter 15 ml d'eau glacée à la fois (la pâte ne doit pas être collante).
5. Envelopper la boule de pâte dans une pellicule plastique et réfrigérer au moins 30 minutes afin que la pâte s'abaisse plus facilement.
6. Abaisser la pâte entre deux feuilles de papier ciré enfariné à la grandeur désirée (23 cm).
7. Utiliser la feuille du dessous pour retourner l'abaisse dans l'assiette de cuisson.
8. Enlever le surplus de pâte et plisser le rebord avec les doigts.
9. Piquer le fond et les côtés à la fourchette.
10. Cuire la croûte 25 minutes dans un four à 180° C; piquer une ou deux fois pendant la cuisson pour briser les poches d'air.
11. La croûte est maintenant prête à être utilisée avec n'importe quelle recette demandant une pâte brisée partiellement cuite.

NOTE: Pour obtenir deux croûtes, utiliser 1½ fois la recette.
Cette recette de croûte s'emploie aussi bien pour toutes les sortes de tartes y compris les pâtisseries.

RENDEMENT:
1 croûte de 20 à 23 cm.

Petits pois et oignons aux raisins

Des légumes au goût différent et que vous apprécierez sûrement.

FIBRES : Recette : 56 g   PAR PORTION : 9 g

500 g	de petits pois frais mange-tout (ou autres pois surgelés)
500 g	de petits oignons blancs
500 ml	d'eau
250 ml	de vinaigre blanc
60 ml	d'huile d'olive
60 ml	de pâte de tomates
125 ml	de miel clair
1	bouquet garni (thym, laurier, persil)
	sel et poivre au goût
250 ml	(150 g) de raisins secs de Smyrne (sultana)

Mode de préparation

1. Mettre dans une cocotte à fond épais l'eau, le vinaigre, l'huile et la pâte de tomates.
2. Porter à ébullition, ajouter le miel et le bouquet garni et assaisonner.
3. Ajouter, dès que l'ébullition reprend, les petits oignons, les pois mange-tout et les raisins secs.
4. Réduire la chaleur et faire mijoter lentement 1 heure.
5. Remuer fréquemment pour éviter que les raisins ne collent au fond.
6. Verser dans un légumier et servir chaud ou très froid, selon les goûts.

NOTE : Ce plat est aussi bon chaud que froid et il est l'accompagnement parfait des viandes ou des poissons fumés.

RENDEMENT :
6 portions de 150 ml.

Trempette de verdures fraîches

Le choix des gourmets, payez-vous le luxe de cuisiner finement.

FIBRES: Recette: 31 g   PAR PORTION: 8 g

2 l de feuilles et tiges de plantes saisonnières (pissenlit, capucine, feuilles de moutarde, chou gras, etc.)
1 gros poireau haché
1 gros oignon émincé finement
85 ml d'huile de tournesol ou d'olive

125 ml de beurre de sésame (tahini) ou de graines de sésame moulues
75 ml de jus de citron frais
5 ml de sel
75 ml d'eau
craquelins de blé entier ou pain pita
feuilles de laitue pour la présentation

Mode de préparation

1. Laver à l'eau courante les verdures jusqu'à ce que l'eau soit claire et propre.
2. Enlever les parties brunes et dures des tiges puis les hacher en morceaux de 5 cm ou déchiqueter en gros morceaux avec les doigts.
3. Cuire feuilles et tiges à la vapeur 20 minutes ou jusqu'à ce qu'elles soient molles et tendres.
4. Les égoutter et les laisser refroidir dans une passoire.
5. Faire frire le poireau et l'oignon dans l'huile jusqu'à ce qu'ils soient dorés, en remuant constamment.
6. Verser dans un bol et ajouter les verdures cuites; remuer en soulevant avec deux fourchettes pour bien mélanger.
7. Mêler ensemble la pâte de tahini, le jus de citron et le sel; bien brasser pour obtenir un mélange onctueux.
8. Ajouter l'eau graduellement en brassant constamment.
9. Verser sur la salade et mélanger délicatement avec les doigts en écrasant un peu les feuilles ou utiliser une fourchette.
10. Servir ce mets comme trempette accompagné de craquelins de blé entier et décoré de quelques feuilles fraîches ou servir dans des pochettes de pain pita de blé entier en guise de sandwich.

RENDEMENT:
500 ml ou 4 portions de 125 ml.

Topinambours à l'orange

Un légume presque inconnu dont la délicate saveur se marie bien avec celle des fruits d'hiver.

FIBRES: Recette: 47 g   PAR PORTION: 8 g

900 g	de topinambours cuits pelés et tranchés	60 ml	d'arachides nature hachées ou de noix de pigne
5	mandarines pelées à vif et divisées en sections (ou 2 boîtes de conserve de 284 ml)	50 ml	de beurre fondu
		75 ml	de sucre brun
		2 ml	de sel
		50 ml	de jus de mandarine ou d'orange frais

Mode de préparation

1. Laver et brosser soigneusement les topinambours. Ne pas les peler.
2. Les faire bouillir dans de l'eau bouillante salée et vinaigrée de 35 à 40 minutes ou jusqu'à ce qu'ils soient tendres à la fourchette.
3. Les égoutter, les peler et les couper en tranches épaisses.
4. Déposer un rang de tranches de topinambours dans un plat à four graissé.
5. Disposer des sections de mandarine et des arachides hachées sur la surface des tranches de topinambours.
6. Combiner le beurre fondu, le sucre brun, le sel et le jus de mandarine ou d'orange.
7. Verser une petite quantité de ce mélange sur la couche de mandarines et d'arachides.
8. Répéter les couches en terminant avec les sections de mandarine et les arachides.
9. Verser le reste de la sauce sur le dessus.
10. Faire cuire au four à 190° C pendant 30 minutes.

NOTE: Le topinambour et l'igname se préparent de la même façon que la patate douce. Ils remplacent avantageusement la traditionnelle pomme de terre. Le liquide de cuisson des topinambours forme une gelée lorsque refroidi et peut servir à préparer une délicieuse soupe au goût délicat d'artichaut, d'où son nom «d'artichaut de Jérusalem».

RENDEMENT:
750 ml environ ou 6 portions de 125 ml.

Gratin de patate douce

Pourquoi ne pas remplacer occasionnellement la pomme de terre? On y gagne un brin de fantaisie!

FIBRES: Recette: 33 g   PAR PORTION: 6 à 8 g

4	patates douces tranchées	240 ml	de fromage gruyère râpé
2	petites carottes tranchées	240 ml	de chapelure fraîche de
500 ml	de bouillon de légumes		blé entier
1	petit poireau émincé	60 ml	de germe de maïs ou de blé
1	pointe d'ail écrasée	30 ml	de beurre fondu
30 ml	d'huile de maïs		
1 ml	de sel et de poivre		
1 ml	de romarin		
1	oeuf moyen battu		
60 ml	de lait		

Mode de préparation

1. Faire cuire les patates douces et les carottes dans le bouillon de légumes jusqu'à ce qu'elles soient tendres.
2. Faire blondir le poireau et l'ail dans l'huile chaude.
3. Égoutter les légumes et les réduire en purée à l'aide d'un pilon à pomme de terre.
4. Ajouter le poireau et l'ail; assaisonner de sel, de poivre et de romarin.
5. Incorporer l'oeuf battu et le lait; bien battre pour obtenir une purée lisse et légère.
6. Verser dans un plat à gratin graissé.
7. Saupoudrer le fromage râpé sur toute la surface.
8. Mêler la chapelure et le germe de maïs avec le beurre fondu.
9. En saupoudrer le dessus de la préparation.
10. Cuire au four à 180° C environ 20 minutes ou jusqu'à ce qu'une croûte dorée se forme.
11. Servir aussitôt en décorant de brindilles de romarin.

RENDEMENT:
600 ml ou 4 portions de 150 ml ou 6 portions de 100 ml.

Succotash

Un plat éclair de légumes pleins de saveur et de fibres alimentaires qui complète bien un repas léger.

FIBRES : Recette : 27 g   PAR PORTION : 7 g

284 ml	(1 boîte) de maïs en grains, égouttés *	1	oignon moyen haché
284 ml	(1 boîte) de haricots de Lima, égouttés	1	poivron rouge en dés
		1	branche de céleri hachée
		15 ml	d'huile de maïs
284 ml	(1 boîte) de haricots rouges, égouttés	1	soupçon de poivre noir frais moulu
284 ml	(1 boîte) de haricots verts coupés, égouttés	1	pincée de thym
		125 ml	de crème de table tiédie
		5 ml	de sucre brun

Mode de préparation

1. Dans une grande casserole, combiner ensemble tous les légumes cuits égouttés.

2. Faire chauffer l'huile et faire prendre couleur à l'oignon, au poivron et au céleri hachés.

3. Les ajouter aux légumes déjà cuits.

4. Bien remuer tous les légumes ensemble délicatement pour ne pas briser les formes.

5. Assaisonner de poivre et de thym, goûter ; rectifier si nécessaire.

6. Ajouter le sucre brun à la crème de table tiédie et verser sur les légumes dans la casserole.

7. Remuer à la fourchette en soulevant les légumes pour bien les enrober de crème.

8. Réchauffer sans laisser bouillir et servir aussitôt dans un légumier.

NOTE : Pour former un repas complet, l'accompagner de fromage et de pain ou de muffin de grains entiers. Et pour un dessert, opter pour un yogourt aux fruits.

* Approximativement 250 ml de chaque variété de légumes.

RENDEMENT :
4 portions de 250 ml.

Salade verdoyante

Une salade sans laitue, stimulante et douce à la fois, qui sera bien accueillie par les convives.

FIBRES : Recette : 28 g   PAR PORTION : 7 g

---

28 g	(1 botte) de cresson frais	1 ml	de moutarde sèche
2	endives	5 ml	de miel clair
125 g	(1*l*) d'herbes sauvages (plantain,	50 ml	d'huile d'arachide
	chou gras, oseille, feuilles de	125 ml	de noix du Brésil hachées
	vigne, etc.)		grossièrement
100 ml	de champignons frais, émincés		sel et poivre frais moulu
25 ml	de jus de citron frais	1	grosse orange en quartiers

Mode de préparation

1. Enlever les tiges centrales du cresson et les conserver pour la cuisson des soupes.

2. Le séparer en tiges plus fines et les rincer dans l'eau froide; bien les assécher dans un linge.

3. Couper la base des endives; retirer le coeur et dégager les feuilles.

4. Les passer sous l'eau sans les laisser tremper et les assécher immédiatement.

5. Laver les herbes sauvages à l'eau courante et les assécher; les diviser en gros morceaux avec les doigts.

6. Déposer ces légumes dans un grand bol en verre.

7. Ajouter les champignons frais émincés.

8. Battre au fouet dans un petit bol, le jus de citron avec la moutarde et le miel.

9. Ajouter l'huile d'arachide, 15 ml à la fois, tout en fouettant entre chaque addition.

10. Ajouter les noix du Brésil hachées.

11. Assaisonner au goût.

12. Verser la vinaigrette sur la salade et remuer délicatement pour enrober les légumes.

13. Décorer de quartiers d'orange.

NOTE : Le goût piquant du cresson et l'amertume de l'endive sont adoucis agréablement par l'huile de noix et le goût sucré de la vinaigrette et des oranges.

RENDEMENT :
4 portions de 250 ml.

Salade fruitée rayonnante

Une recette presque magique qui donnera aux petits et grands le goût de manger des fibres alimentaires.

FIBRES : Recette : 42 g	PAR PORTION : 7 g

2 *l*	de laitues variées déchiquetées (scarole, romaine, chou chinois, mâche, etc.)	125 ml	de dattes hachées
		250 ml	de croûtons de blé entier
		15 ml	de graines de sésame grillées
250 ml	de tranches d'orange (2 petites)	125 ml	d'arachides rôties à sec non salées, hachées
250 ml	de billes de melon honeydew	125 ml	de noix de coco râpée grossièrement ou filamentée
250 ml	de papaye, de mangue ou autre fruit exotique, en morceaux de 1 cm		

VINAIGRETTE

30 ml	de jus de citron ou d'orange	1	oignon vert haché fin
15 ml	de miel clair		sel et poivre frais moulu
15 ml	de moutarde préparée		paprika
		15 ml	d'huile d'arachide

Mode de préparation

1. Laver les feuilles de laitue et les assécher complètement.
2. Peler à vif les oranges, ne conservant que la chair; les trancher.
3. Prélever des billes de ½ melon avec une cuillère à melon.
4. Peler et couper en deux la papaye ou la mangue. Retirer le noyau central ou les graines centrales.
5. Découper en morceaux égaux de 1 cm sur 1 cm.
6. Faire griller 2 tranches de pain de blé entier et les tailler en petits cubes.
7. Hacher les dattes et les arachides.
8. Préparer la vinaigrette dans un petit bol, en fouettant le jus de citron ou d'orange avec le miel et la moutarde.
9. Incorporer l'oignon vert haché fin; ajouter le sel, le poivre, le paprika et goûter; rectifier l'assaisonnement si nécessaire.
10. Ajouter l'huile très lentement en fouettant vigoureusement entre chaque addition.
11. Continuer de battre jusqu'à ce que la vinaigrette épaississe.
12. Dans une grande assiette creuse très froide, disposer les feuilles de laitue bien croustillantes.
13. Agencer les autres fruits de manière esthétique sur les feuilles.
14. Parsemer les fruits de croûtons, de dattes hachées, de graines de sésame grillées, d'arachides hachées et de noix de coco râpée grossièrement.

15. Colorer le tout avec la vinaigrette bien froide et bien liée (agiter une minute avant de la verser).
16. Laisser reposer 10 minutes puis servir dans des assiettes très froides.

NOTE: Cette salade rafraîchissante devient un repas léger si on la sert accompagnée de fromage cottage ou de ricotta aromatisé aux fines herbes.

RENDEMENT:
6 portions d'environ 300 ml.

Salade de plein air

Quand l'herbe pousse généreusement et que l'on désire manger à l'extérieur.

FIBRES: Recette: 35 g	PAR PORTION: 6 g

125 g (ou 1 *l*) de feuilles fraîches lavées et asséchées (pissenlit, épinards, bette, feuilles de moutarde, etc.)
15 ml de jus de citron
2 gros avocats mûrs
2 tomates en dés
250 ml de radis tranchés
1 petit oignon rouge émincé en rondelles
1 poivron vert haché grossièrement
125 ml d'olives noires coupées en deux
250 ml de coeurs de palmier en morceaux de 1 cm (facultatif)

50 ml de simili-bacon en miettes
50 ml de fromage feta émietté (ou autre)
sel et poivre frais moulu

VINAIGRETTE
125 ml d'huile d'olive
125 ml de vinaigre de vin
1 pointe d'ail émincée
2 ml de moutarde forte
30 ml de persil frais haché finement
poivre frais moulu au goût

Mode de préparation

1. Laver et assécher les feuilles et les déchiqueter en gros morceaux; les déposer dans un grand saladier.
2. Peler les avocats, les trancher et les placer dans un bol; les arroser de jus de citron et recouvrir d'une pellicule plastique pour prévenir le brunissement.
3. Retirer le coeur des tomates et les couper en dés uniformes.
4. Déposer les tomates avec les feuilles dans le saladier.
5. Préparer les radis, l'oignon, le poivron, les olives, les coeurs de palmier, le bacon et le fromage et ajouter au fur et à mesure dans le saladier.
6. Ajouter les avocats en dernier lieu et assaisonner au goût.
7. Remuer avec deux fourchettes en soulevant tous les ingrédients pour mieux les combiner.
8. Réfrigérer au moins une heure; arroser de vinaigrette juste au moment de servir.
9. Préparer la vinaigrette au moins 24 heures à l'avance en combinant l'huile, le vinaigre, l'ail et la moutarde forte, dans un pot fermé.
10. Agiter vigoureusement 1 minute avant de la verser sur la salade; n'ajouter que la quantité requise pour enrober et lustrer les ingrédients.
11. Goûter et ajouter du sel et du poivre si nécessaire.

12. Décorer de persil frais haché. Déguster ce plat accompagné de petits pains de blé entier tartinés de beurre aux fines herbes.

NOTE: 1 petit pain de blé entier donne 2 g de fibres.

RENDEMENT:
6 portions de 375 ml.

Chiffonnade de légumes verts

Des restes de légumes peuvent devenir un plat nourrissant et original en utilisant tout ce que vous avez sous la main.

FIBRES: Recette: 29 g | PAR PORTION: 5 g

227 g	de fromage gruyère en dés
250 ml	de chou vert en filaments
250 ml	de chou chinois en lanières
250 ml	de haricots verts cuits, en morceaux
250 ml	de morceaux de brocoli (têtes et tiges)
1	poivron vert en lanières (on peut substituer tout autre légume disponible)
4	oignons verts hachés
2	pointes d'ail écrasées
375 ml	de croûtons de blé entier
6	tranches de bacon cuit et émietté
6	oeufs cuits durs
6	tomates cerises

VINAIGRETTE

30 ml	de vinaigre d'estragon
2 ml	de sel
1 ml	de poivre noir
5 ml	de moutarde préparée
50 ml	d'huile d'olive
15 ml	de persil haché ou de ciboulette fraîche
15 ml	de yogourt nature ou de crème sure

Mode de préparation

1. Mettre les ingrédients de la vinaigrette dans un pot fermé et agiter vigoureusement pendant 1 minute ou jusqu'à consistance crémeuse.
2. Faire mariner les dés de fromage dans la vinaigrette puis les ajouter, au moment du service, aux légumes verts.
3. Préparer le chou vert, le chou chinois, les haricots verts, le brocoli et le poivron et les mélanger avec les oignons et l'ail.
4. Réfrigérer ce mélange au moins une heure.
5. Préparer les croûtons en faisant griller 4 tranches de pain de blé entier et les découper en cubes.
6. Frire le bacon dans un poêlon jusqu'à ce qu'il soit croustillant; l'égoutter sur du papier absorbant et l'émietter.
7. Faire dorer les croûtons de pain dans le gras de bacon; bien égoutter sur du papier absorbant.
8. Combiner dans un grand bol, les légumes verts refroidis, le bacon émietté et les croûtons.
9. Remuer pour mélanger les ingrédients et ajouter le fromage mariné dans la vinaigrette.
10. Brasser pour lier et enrober tous les légumes avec la vinaigrette.
11. Servir en disposant la salade, à l'aide d'une cuillère, au centre d'une grande assiette et garnir tout autour d'oeufs durs coupés en deux et de tomates cerises, si désiré.

RENDEMENT:
6 portions de 170 ml.

Brochettes de crudités avec sauce-trempette à l'aneth

Une manière agréable et rafraîchissante de consommer les bonnes fibres alimentaires en hors-d'oeuvre.

FIBRES: Recette: 19 g	PAR PORTION: 5 g

100 g	(250 ml) de bouquets de chou-fleur	
158 g	(250 ml) de carottes en julienne ·	
1	poivron vert taillé en lanières	
1	petit (250 ml) navet coupé en bâtonnets	
100 g	(16) de radis entiers	
100 g	(2 branches) de céleri en bâtonnets	

SAUCE-TREMPETTE

125 ml	de crème sure
125 ml	de mayonnaise
15 ml	de persil frais haché
15 ml	de feuilles d'aneth frais
5 ml	d'oignon séché
5 ml	de sel de céleri
60 ml	d'amandes broyées

Mode de préparation

1. Attendrir le chou-fleur, les carottes, le poivron, le navet, les radis et le céleri à la vapeur 5 minutes et les refroidir au réfrigérateur toute une nuit.
2. Combiner tous les ingrédients de la sauce-trempette.
3. Couvrir et réfrigérer pendant 24 heures.
4. Disposer la sauce-trempette au centre d'un grand plat de service et placer les crudités autour en alternant les couleurs.

NOTE: Ce mets est conçu pour être préparé à l'avance et servi au moment choisi.

RENDEMENT:
4 portions de 250 ml.

Choux de Bruxelles à la sauce piquante

Pour réveiller vos légumes préférés, il n'y a rien comme une sauce piquante à la moutarde et au raifort. Essayez! vous verrez...

FIBRES : Recette : 21 g   PAR PORTION : 5 g

500 g	de choux de Bruxelles	1 ml	de thym
6	oignons verts hachés	2 ml	de sel
1	poireau émincé	1	pincée de poivre
50 ml	de beurre	30 ml	de raifort frais, râpé
50 ml	de farine		(ou en conserve)
500 ml	de lait	5 ml	de moutarde forte
		1	carotte râpée

Mode de préparation

1. Cuire les choux de Bruxelles à la vapeur 20 minutes ou jusqu'à tendreté.
2. Fondre le beurre à feu doux et faire ramollir les oignons verts et le poireau.
3. Ajouter la farine graduellement tout en remuant constamment avec une cuillère de bois.
4. Retirer du feu et ajouter le lait très lentement au début pour former une pâte souple.
5. Bien brasser et continuer l'addition du lait jusqu'à ce que la sauce soit lisse et bien liée.
6. Retourner sur le feu et cuire tout en brassant jusqu'à épaississement.
7. Ajouter le sel, le poivre, le thym, le raifort, la moutarde et la carotte râpée.
8. Prolonger la cuisson 5 minutes en remuant de temps à autre sur feu doux.
9. Napper les choux de Bruxelles avec la sauce et servir immédiatement.

RENDEMENT :
4 portions de 125 g de choux de Bruxelles avec 125 ml de sauce.

Mousseline de navets et de pommes

Une douce purée de légumes et de fruits aussi légère qu'un soufflé et qui sort de l'ordinaire.

FIBRES : Recette : 21 g   PAR PORTION : 4 g

500 ml	de bouillon de poulet		sel et poivre au goût
2	navets moyens ou 3 (450 g) pelés et coupés en quartiers	2	oeufs légèrement battus
		50 ml	de crème à fouetter
2	grosses pommes cuites et réduites en purée (250 ml)		muscade fraîche râpée (au goût)
		60 ml	de chapelure de blé entier
50 ml	de beurre	10 ml	de beurre
30 ml	d'oignons hachés		
30 ml	de persil frais haché		

Mode de préparation

1. Faire cuire les navets dans le bouillon de poulet frémissant, environ 30 minutes ou jusqu'à tendreté.
2. Peler et trancher les pommes ; les ajouter au bouillon 5 minutes avant la fin de la cuisson des navets.
3. Faire fondre le beurre dans un poêlon et y faire revenir l'oignon et le persil jusqu'à ce qu'ils soient tendres.
4. Égoutter le navet et les pommes, les remettre dans la casserole en remuant légèrement pour enlever toute trace d'humidité.
5. Retirer du feu, ajouter le mélange d'oignon et réduire en purée avec un pilon à pomme de terre.
6. Goûter, saler et poivrer.

7. Incorporer les oeufs battus en fouettant vigoureusement.
8. Tout en continuant de fouetter, ajouter la crème en filet petit à petit.
9. Ajouter la muscade ; goûter et rectifier l'assaisonnement si nécessaire.
10. Verser la purée dans un plat à soufflé graissé et saupoudrer de chapelure.
11. Parsemer de noisettes de beurre et faire cuire au four à 180° C pendant 30 minutes.

NOTE : Une autre variante originale de ce plat consiste à substituer au navet et aux pommes 6 à 8 panais et 2 poires fraîches. Un duo étonnant mais délicieux !

RENDEMENT :
6 portions de 125 ml.

Fruits « Bon réveil »

Le secret des gens en forme, de bonne humeur et qui veulent le demeurer : une bonne habitude à prendre. « Un bonus incroyable. »

FIBRES : Recette : 77 g   PAR PORTION : 19 g

236 g	(250 ml) de pruneaux secs non cuits
158 g	(250 ml) d'abricots séchés non cuits
125 ml	d'eau froide

125 ml	de nectar d'abricot
1	bâtonnet de cannelle
½	citron, zeste et jus

Mode de préparation

1. Déposer les pruneaux et les abricots dans une casserole et les recouvrir d'eau froide.
2. Ajouter le nectar d'abricot, le bâtonnet de cannelle, le jus et le zeste de citron.
3. Faire mijoter les fruits à feu doux, en remuant fréquemment jusqu'à ce que les fruits soient tendres lorsque piqués à la fourchette (tenir la casserole couverte).
4. Retirer le bâton de cannelle et verser les fruits dans un compotier.
5. Laisser refroidir avant de servir.

NOTE : Les fruits peuvent être cuits la veille et servis froids au petit déjeuner ou réchauffés selon les goûts.

RENDEMENT :
4 portions de 125 ml.

Abricots Chantilly au cognac

Un élégant entremets qui vous fera oublier la saison des fruits frais.

FIBRES : Recette : 66 g PAR PORTION : 17 g

250 g	d'abricots séchés hachés finement	250 ml	de crème 35 % à fouetter
125 ml	de sucre	30 ml	de sucre à glacer
150 ml	d'eau bouillante		le zeste de 1 orange
125 ml	de cognac ou de liqueur d'oranges	60 ml	d'amandes ou de noix hachées
		30 ml	d'amandes ou de noix de coco grillées, pour la décoration

Mode de préparation

1. Combiner les abricots hachés avec le sucre, l'eau bouillante et le cognac ou la liqueur d'oranges. Ajouter assez de cognac pour couvrir les abricots.
2. Remuer sur feu doux jusqu'à ce que le sucre soit dissous.
3. Laisser reposer au réfrigérateur au moins 24 heures pour macérer et développer la saveur. (On obtient le maximum de saveur si les fruits macèrent plusieurs jours.)
4. Découper le zeste d'orange en julienne (sans la partie blanche) et le faire blanchir 3 minutes.
5. Le rincer à l'eau froide immédiatement et l'ajouter aux abricots. Bien mêler et couvrir hermétiquement.
6. Au moment du service, fouetter la crème en pics fermes avec le sucre à glacer et incorporer les amandes hachées en coupant et pliant délicatement.

7. Plier ensuite le mélange d'abricots dans la crème fouettée, très délicatement pour ne pas briser la mousse.
8. Déposer à la cuillère dans des coupes individuelles glacées et décorer d'amandes ou de noix de coco grillées. Réfrigérer à nouveau au moins 1 heure.
9. Servir ce plat glacé, accompagné de biscuits langue-de-chat ou de madeleines.

NOTE : Le cognac ou la liqueur d'oranges aide à réhydrater les abricots et à leur donner un goût incomparable.

RENDEMENT :
6 portions de 125 ml.

Boisson aux fruits « Super - Fibre »

Un petit déjeuner éclair pour gens pressés.

FIBRES : Recette : 16 g	PAR PORTION : 8 g

480 ml	de lait		30 ml	de miel
250 ml	d'abricots secs		60 ml	de nectar d'abricot
	cuits, sans sucre		85 ml	de son entier (All-Bran)
1	oeuf moyen			

Mode de préparation

1. Dans la jarre du mélangeur électrique, mettre le lait, les abricots, l'oeuf, le miel et le nectar d'abricot.
2. Tourner à haute vitesse jusqu'à ce que la préparation soit crémeuse et mousseuse.

3. Ajouter le son entier et tourner 5 secondes.
4. Verser dans de grands verres et boire froid.

NOTE : On peut substituer aux abricots tout autre fruit séché, cuit et réhydraté.

RENDEMENT :
2 verres de 250 ml.

Sublime aux figues fraîches

Un dessert étonnamment délicieux et rafraîchissant.

FIBRES : Recette : 32 g   PAR PORTION : 8 g

50 ml	de noix du Brésil hachées
50 ml	de noix de coco râpée finement
12	figues fraîches
12	noix du Brésil sans coque, entières
125 ml	de liqueur de noix (ou de lait de coco)

350 g	de yogourt nature (2 contenants de 175 g)
15 ml	de miel
2 ml	de vanille
50 ml	de noix de coco râpée et grillée

Mode de préparation

1. Mélanger les noix du Brésil hachées avec la noix de coco râpée.
2. Faire une entaille dans chaque figue et les remplir avec le mélange de noix.
3. Décorer chaque figue d'une noix du Brésil entière.
4. Les placer côte à côte dans une assiette et les arroser de liqueur de noix ou de lait de coco.
5. Réfrigérer plusieurs heures pour macérer ; bien recouvrir.
6. Retirer les figues du jus et combiner le jus avec le yogourt, le miel et la vanille.
7. Déposer, par cuillerée, le mélange de yogourt dans des coupes à dessert.
8. Déposer 3 figues sur le mélange dans chaque coupe.
9. Décorer de noix de coco grillée.
10. Réfrigérer à fond avant de servir.

NOTE : Ce dessert peut se préparer à l'avance car il se conserve bien 1 ou 2 jours au réfrigérateur.

RENDEMENT :
4 portions.

Panier de fruits

Quelle fantaisie désaltérante pour la saison chaude!

FIBRES: Recette: 46 g   PAR PORTION: 8 g

1	melon honeydew	375 ml	de poires fraîches en dés (avec la pelure)
1	banane tranchée	15 ml	de jus de citron frais
375 ml	de framboises fraîches	50 ml	de sucre en poudre (à fruits)
375 ml	d'ananas frais en cubes	125 ml	de noix de coco filamentée
2	kiwis tranchés		

Mode de préparation

1. Enlever la calotte du melon au tiers environ.
2. Façonner la chair en billes avec une cuillère à melon.
3. Laisser 5 cm autour de l'écorce et couper le bord du melon en zigzag ou en dentelé.
4. Mettre les billes de melon, la banane, les framboises, les ananas, les kiwis et les poires dans le melon et arroser de jus de citron.
5. Saupoudrer de sucre et mélanger doucement les fruits en les soulevant.
6. Disperser la noix de coco sur le dessus.
7. Servir bien froid.

RENDEMENT:
6 portions de 250 ml.

Compote de 4 fruits d'hiver

Un délicieux dessert simple qui satisfait l'appétit tout en offrant un supplément de fibres alimentaires.

FIBRES: Recette: 24 g   PAR PORTION: 8 g

250 ml	d'eau
125 ml	de jus d'orange frais
30 ml	de zeste d'orange frais râpé
1	bâtonnet de cannelle
2	clous de girofle
1	pincée de gingembre moulu
10 ml	de tapioca ou d'arrow-root

6	abricots séchés
4	pruneaux séchés
1	pomme rouge non pelée et évidée, tranchée
50 ml	de raisins secs de Smyrne (sultana)
	crème fouettée et muscade (facultatif)

Mode de préparation

1. Porter à ébullition l'eau, le jus d'orange, le zeste d'orange, le bâtonnet de cannelle, les clous de girofle et le gingembre.

2. Quand le liquide bout, ajouter le tapioca en fine pluie tout en brassant ainsi que les abricots et les pruneaux.

3. Cuire très doucement à feu doux en brassant fréquemment pendant 10 minutes ou jusqu'à ce que le liquide épaississe.

4. Fermer le feu, ajouter les tranches de pomme et les raisins; remuer pour les incorporer aux autres fruits.

5. Couvrir la casserole et laisser attendrir les fruits environ 15 minutes.

6. Retirer la cannelle et les clous de girofle et distribuer dans des coupes à dessert.

7. Laisser tiédir et décorer d'une noix de crème fouettée saupoudrée d'une pincée de muscade, si désiré.

RENDEMENT:
3 portions de 125 ml.

Tarte aux noix du Sud

Voici une version de la classique tarte aux pacanes ;
faites-en la favorite de votre famille.

FIBRES : Recette : 48 g   PAR PORTION : 8 g

1	abaisse de croûte simple * non roulée de 23 cm
3	oeufs battus
250 ml	de sirop d'érable ou de maïs
125 ml	de sucre blanc
1 ml	de sel

5 ml	d'essence de vanille
30 ml	de beurre fondu
250 ml	de noix du Brésil grossièrement coupées (ou arachides, pacanes, noix de Grenoble)

Mode de préparation

1. Mélanger dans un bol les oeufs, le sirop d'érable, le sucre blanc, le sel, l'essence de vanille et le beurre fondu.
2. Battre à la mixette électrique jusqu'à ce que le mélange soit homogène ; ajouter les noix.
3. Verser dans une croûte à tarte non cuite de 23 cm.

4. Cuire dans un four chaud à 200° C (au centre) pendant 10 minutes ; réduire la chaleur à 180° C et cuire encore 35 minutes ou jusqu'à ce que la lame d'un couteau insérée dans la garniture en ressorte propre.
5. Laisser tiédir au moins 15 minutes avant de déguster.

* Voir recette, p. 253.

RENDEMENT :
6 à 8 portions.

Poires farcies meringuées

Un dessert raffiné pour recevoir en beauté: offrez-vous le luxe d'un mets élégant!

| FIBRES: Recette: 44 g | PAR PORTION: 7 g |

6	grosses poires Passe-Crassane
500 ml	de nectar de poire
100 g	de purée de marrons au naturel, en boîte
50 ml	de sucre à glacer
15 ml	de cognac ou de rhum brun

CRÈME ANGLAISE

500 ml	de lait
4	jaunes d'oeufs
75 ml	de sucre blanc
5 ml	d'essence d'amande
10 ml	de cognac ou de rhum brun

MERINGUE

4	blancs d'oeufs
1	pincée de sel
125 ml	de sucre blanc
160 ml	d'amandes hachées finement

Mode de préparation

1. Peler les poires au couteau éplucheur et retirer le coeur avec une cuillère à melon afin de laisser la poire intacte y compris la queue.
2. Porter à ébullition le nectar de poire et pocher les poires dans ce sirop bouillant 5 minutes (les poires doivent être tendres mais fermes).
3. Les égoutter et les réfrigérer.
4. Combiner la purée de marrons avec le sucre à glacer et le cognac ou le rhum selon les goûts.
5. Farcir les poires avec la purée de marrons et réfrigérer pendant la préparation de la crème anglaise.
6. Dans le haut d'un bain-marie, faire chauffer le lait.
7. Battre les jaunes d'oeufs avec le sucre jusqu'à ce que les jaunes soient pâles et épais.
8. Réchauffer le mélange d'oeufs avec un peu de lait chaud en brassant vigoureusement avec un fouet.
9. Verser ce mélange graduellement dans le reste du lait chaud et remuer sans arrêt jusqu'à ce que la sauce enrobe bien la cuillère (l'eau dans la partie inférieure du bain-marie ne doit pas bouillir).
10. Retirer du feu et plonger la partie supérieure du bain-marie dans un bain d'eau froide.
11. Remuer pendant le refroidissement et ajouter l'essence d'amande et le cognac ou le rhum.
12. Réfrigérer, bien couvert, pendant la préparation de la meringue.
13. Monter les blancs d'oeufs en neige ferme avec le sel.
14. Quand la mousse semble ferme, commencer l'addition du sucre, 15 ml à la fois, tout en fouettant sans arrêt jusqu'à complète utilisation du sucre.

15. Ensuite, incorporer les amandes hachées délicatement en coupant et en pliant dans la mousse.

16. Au moment du service, napper les poires farcies avec la sauce anglaise.

17. Disposer sur chaque poire la meringue à l'aide d'une poche à douilles ou de deux cuillères et faire dorer au four à 160°C (quelques minutes).

18. Servir sans délai.

NOTE: Ce dessert peut se préparer la veille et être assemblé au moment choisi; on peut aussi le préparer dans des ramequins individuels.

RENDEMENT:
6 portions.

Bagatelle aux perles bleues

Une façon délicieuse de prendre des fibres... au dessert.

FIBRES: Recette: 26 g   PAR PORTION: 6 g

---

375 ml	de miettes de biscuits à l'avoine (environ 15 biscuits)
2 ml	de cannelle
30 ml	de miel clair
60 ml	d'amandes hachées
50 ml	de beurre fondu
500 ml	de bleuets frais ou surgelés
125 ml	de sucre blanc
30 ml	de liqueur de bleuets (ou jus de citron)
10 ml	de fécule de maïs
250 ml	de lait 2%

CRÈME PÂTISSIÈRE

30 ml	de sucre blanc
30 ml	de fécule de maïs
1	oeuf moyen battu
1	pincée de sel
15 ml	de beurre
1 ml	d'essence d'amande
60 ml	d'amandes émincées grillées

Mode de préparation

1. Combiner ensemble les miettes de biscuits, la cannelle, le miel, les amandes et le beurre fondu.
2. Remuer à la fourchette pour bien humecter tous les ingrédients.
3. Verser ce mélange dans une assiette de verre profonde et bien tasser uniformément dans le fond de l'assiette.
4. Cuire 10 minutes dans un four à 180°C; refroidir.
5. Dissoudre la fécule dans la liqueur de bleuets ou dans le jus de citron; l'ajouter aux bleuets avec le sucre.
6. Chauffer les bleuets à feu doux, tout en remuant jusqu'à épaississement (remuer délicatement pour ne pas briser les fruits).
7. Verser les bleuets sur la croûte de biscuits et refroidir au réfrigérateur; recouvrir pendant la préparation de la crème pâtissière.
8. Mêler ensemble le sucre et la fécule dans la partie supérieure d'un bain-marie.
9. Ajouter le lait graduellement tout en brassant.
10. Chauffer, à feu doux, la préparation tout en remuant sans arrêt jusqu'à épaississement.
11. Retirer du feu et réchauffer l'oeuf battu avec une petite quantité de la sauce chaude.
12. Verser l'oeuf dans le reste de la sauce, ajouter la pincée de sel et remuer doucement pendant 2 minutes.
13. Faire tiédir la casserole dans un bain d'eau froide et ajouter le beurre et l'essence d'amande.
14. Tourner la préparation pendant le refroidissement.
15. Verser à la cuillère sur les bleuets refroidis et l'étendre uniformément sur toute la surface.
16. Décorer avec les amandes grillées, tranchées.
17. Refroidir au moins une heure avant de servir.

NOTE: Ce dessert se prépare aussi bien dans des coupes à parfait en alternant les couches de bleuets, de crème pâtissière et de biscuits. Il devient ainsi un élégant dessert.

RENDEMENT:
4 portions de 125 ml.

Tartelettes aux bananes et aux canneberges

Une équipe inattendue qui remportera les honneurs. Le goût acide des canneberges se joint à la douceur des bananes pour former un excellent dessert.

FIBRES: Recette: 48 g   PAR PORTION: 6 g

1	recette de croûte simple de blé entier*, non roulée, cuite dans 8 tartelettes de 10 cm
450 g	de bananes tranchées mince
500 ml	de canneberges cuites sucrées et égouttées (ou 1 boîte de 398 ml)

175 g de yogourt parfumé à la vanille (ou autre parfum au choix)
50 ml de noix de coco filamentée, grillée

Mode de préparation

1. Préparer une recette de croûte à tarte non roulée.
2. La répartir dans 8 tartelettes de 10 cm en pressant bien avec les doigts.
3. Piquer avec une fourchette le fond et les côtés de chaque tartelette.
4. Les déposer sur une plaque à pâtisserie et cuire à four chaud (200° C), pendant 10 ou 12 minutes ou jusqu'à ce qu'elles soient dorées.
5. Refroidir complètement avant de les garnir.
6. Remplir les croûtes refroidies de tranches de bananes.
7. Réchauffer légèrement les canneberges et les verser à la cuillère sur les bananes de manière à bien les recouvrir.
8. Déposer au réfrigérateur et recouvrir les tartelettes d'une pellicule plastique.
9. Au moment de servir, napper chaque tartelette avec une cuillère à soupe comble (25 ml) de yogourt parfumé de son choix.
10. Parsemer la surface de noix de coco grillée.
11. Déguster très froid.

* Voir recette, p. 253.

RENDEMENT:
8 portions.

Carrés aux dattes et aux noix

Pour rompre la monotonie, essayez cette variante plus riche en bonnes fibres alimentaires, vous prendrez plaisir à les servir plus souvent.

FIBRES : Recette : 49 g   PAR PORTION : 6 g

375 ml	de farine de blé entier, tamisée
250 ml	de cassonade
2 ml	de soda à pâte
1 ml	de sel
250 ml	d'avoine roulée régulière
170 ml	de beurre
2 ml	d'essence de citron

GARNITURE

227 g	(300 ml) de dattes dénoyautées, hachées
125 ml	de sirop de maïs
125 ml	d'eau bouillante
15 ml	de jus de citron et de zeste
125 ml	de noix du Brésil hachées

Mode de préparation

1. Tamiser la farine de blé entier avec la cassonade, le soda et le sel dans un grand bol.
2. Ajouter les flocons d'avoine et bien mélanger.
3. Défaire le beurre en crème avec l'essence de citron.
4. Ajouter le beurre aux ingrédients secs et travailler la pâte jusqu'à ce qu'elle soit grumeleuse et le gras bien absorbé dans la farine ; réserver.
5. Dans une casserole, disposer les dattes hachées et ajouter le sirop de maïs, l'eau, le zeste et le jus de citron.
6. Cuire à feu doux tout en remuant jusqu'à ce que les dattes soient molles et aient absorbé tout le liquide.
7. Retirer du feu et ajouter les noix hachées.
8. Étendre la moitié du mélange de farine dans un moule carré de 20 cm beurré ; presser avec les mains pour tasser la base.
9. Étaler, uniformément à la surface, la garniture aux dattes.
10. La recouvrir avec le reste du mélange de farine.
11. Bien tasser avec la main pour égaliser la surface.
12. Cuire au four à 180° C pendant 25 minutes ou jusqu'à ce que la surface apparaisse bien dorée.
13. Refroidir dans le moule avant de couper en carrés.

NOTE : Les pruneaux secs peuvent remplacer les dattes et constituent une heureuse combinaison de saveur plutôt inusitée mais qui plaira sûrement.

RENDEMENT :
8 carrés de 10 cm (1 portion = 1 carré)
ou : 16 carrés de 5 cm (1 portion = 2 carrés).

Gâteau « Brunette » aux fruits frais

Un dessert « à l'ancienne » préparé à la moderne qui offre à la fois plaisir et santé.

FIBRES : Recette : 37 g   PAR PORTION : 6 g

4	grosses poires non pelées
30 ml	de jus de citron
750 ml	de miettes de pain frais de blé entier (mie)
1 ml	de sel
2 ml	de cannelle
1 ml	de muscade
50 ml	de beurre fondu
227 ml	de sirop de maïs

SAUCE AUX RAISINS (ou aux noix)

50 ml	de sucre blanc
30 ml	de fécule de maïs
250 ml	d'eau
170 ml	de raisins secs blonds (ou noix, au goût)
1	pincée de gingembre
15 ml	de zeste de citron (facultatif)

Mode de préparation

1. Couper les poires en fines tranches et les arroser de jus de citron.
2. Disposer des tranches de poires dans le fond d'un plat à four de 2 *l* graissé et recouvrir avec une partie des miettes de pain frais.
3. Alterner les rangs jusqu'à complète utilisation en terminant par le pain.
4. Mélanger ensemble le beurre, le sel, la cannelle, la muscade et le sirop de maïs.
5. Verser sur la préparation de fruits et de pain.
6. Cuire au four à 190° C pendant 30 minutes ou jusqu'à ce que les fruits soient tendres.
7. Servir chaud nappé de sauce aux raisins.

8. Pour la sauce, mêler dans une petite casserole le sucre et la fécule de maïs.
9. Ajouter graduellement l'eau tout en remuant.
10. Chauffer en brassant continuellement jusqu'à épaississement.
11. Ajouter les raisins (ou les noix), le gingembre et le zeste de citron.
12. Chauffer encore 2 minutes ; puis fermer le feu, couvrir et laisser reposer quelques minutes.
13. Verser dans une saucière ou à la cuillère sur le gâteau chaud.

NOTE : On peut aussi employer d'autres fruits frais tels que pomme, pêche, abricot, ananas, etc.

RENDEMENT :
6 portions de 125 ml.

Macarons aux noix

La jarre à biscuits est vide? Vous vous féliciterez de cette recette.

FIBRES: Recette: 86 g   PAR PORTION: 5 g

500 ml d'arachides grillées
        non salées, hachées
        ou d'autres noix hachées
250 ml de dattes (de pruneaux ou
        de raisins secs, au goût)

250 ml de sucre brun
2   oeufs non battus
725 ml de noix de coco non
        sucrée, râpée finement

Mode de préparation

1. Moudre les arachides ou les noix au robot culinaire ou au mélangeur électrique.
2. Hacher les dattes ou les autres fruits séchés très finement et les combiner avec les noix hachées.
3. Ajouter le sucre brun, les oeufs non battus, un à la fois, et bien battre le mélange.
4. Incorporer 375 ml de noix de coco et travailler la pâte jusqu'à ce qu'elle forme une boule homogène.
5. Former 36 petites boules et rouler ensuite chacune dans le reste de noix de coco pour bien les enrober.
6. Cuire sur une plaque à biscuits beurrée, à 180°C pendant 15 minutes, jusqu'à ce que la noix de coco soit grillée.

RENDEMENT:
36 boules. 1 portion = 2 boules.

Compote de petits fruits

Faites votre propre compote avec les fruits cueillis en vous amusant et régalez vos invités.

FIBRES : Recette : 45 g   PAR PORTION : 3 g

1 *l*   de petits fruits sauvages
        (mûres, cassis, pimbinas,
        gadelles, etc.)
50 ml   d'eau

15 ml   de gélatine neutre
        dissoute dans 15 ml d'eau
        bouillante
250 ml de sucre blanc

Mode de préparation

1. Laver les fruits et les déposer dans une grande casserole.
2. Ajouter l'eau et laisser mijoter jusqu'à ce que les fruits aient dégorgé leur jus.
3. Passer le tout au mélangeur électrique par petites quantités à la fois et remettre dans la casserole.
4. Chauffer la préparation et ajouter la gélatine dissoute dans 15 ml d'eau froide (la gélatine doit être liquide.)
5. Remuer tout en ajoutant graduellement le sucre.
6. Brasser jusqu'à ce que le sucre soit dissous.
7. Goûter et ajouter plus de sucre si désiré (la quantité dépend de l'acidité du fruit).
8. Faire refroidir au réfrigérateur plusieurs heures avant de servir.

NOTE : Cette compote de petits fruits aigrelets convient bien pour servir avec de la viande rôtie.

RENDEMENT :
750 ml de compote environ,
50 ml par portion d'accompagnement.

Pain « Ultra-fibre »

Comme le nom le suggère, un favori pour le repas du matin.

FIBRES : Recette : 92 g   PAR PORTION : 8 g

475 ml	de son entier (100%)		50 ml	de germe de blé
500 ml	de lait de beurre*		60 ml	(8 moitiés) d'abricots
500 ml	de farine de blé entier			secs hachés (facultatif)
125 ml	de farine d'avoine		60 ml	de mélasse
150 ml	de sucre blanc		1	gros oeuf battu
10 ml	de poudre à pâte		75 ml	de beurre fondu tiède
2 ml	de sel			

Mode de préparation

1. Verser le lait de beurre sur le son et laisser reposer pendant la préparation des autres ingrédients.

2. Tamiser la farine de blé entier avant de la mesurer.

3. La mesurer sans la tasser et égaliser pour obtenir une mesure rase.

4. Tamiser de nouveau la farine de blé avec la farine d'avoine, le sucre, la poudre à pâte et le sel dans un grand bol.

5. Incorporer le germe de blé et les abricots hachés (si désiré); remuer pour les distribuer également à travers les ingrédients secs.

6. Ajouter la mélasse, l'oeuf battu et le beurre fondu au son ramolli.

7. Faire un puits au centre des ingrédients secs; ajouter d'un seul coup le mélange liquide.

8. Brasser rapidement avec une cuillère de bois jusqu'à ce que la pâte soit humide mais encore grumeleuse (toute la farine doit être bien humectée).

9. Répartir la pâte dans deux petits moules à pain de 1 *l* ou dans un seul grand moule de 2 *l* (22,5 sur 12,5 cm).

10. Cuire au four à 180° C pendant environ 1 heure ou jusqu'à ce qu'un cure-dents inséré au centre en ressorte propre.

11. Refroidir dans le moule pendant 10 minutes.

12. Démouler et laisser refroidir sur une grille.

13. Bien envelopper dans une feuille de papier d'aluminium et conserver toute une nuit avant de trancher.

14. Déguster ce pain chaud avec du fromage à tartiner, du beurre d'arachide ou une garniture de son choix.

* Si on n'a pas de lait de beurre, le remplacer par la même quantité de yogourt nature ou faire surir le lait en lui ajoutant 15 ml de vinaigre.

RENDEMENT :
12 tranches de 2 cm d'épaisseur.

Biscuits «Crunch» aux figues

Un biscuit à grains entiers à déguster avec un verre de lait: idéal pour la collation.

FIBRES: Recette: 90 g   PAR PORTION: 6 g

227 g	(250 ml) de figues séchées
2	gros oeufs bien battus
180 ml	de miel
125 ml	de beurre ramolli
30 ml	de liqueur de noix ou de jus de cuisson des figues
500 ml	de farine de blé entier, tamisée
15 ml	de poudre à pâte
2 ml	de sel

250 ml	de céréale «grape-nuts» en paillettes
170 ml	de noix de coco râpée non sucrée
50 ml	de noisettes hachées ou de raisins secs
125 ml	de sucre à glacer tamisé

Mode de préparation

1. Déposer les figues dans une casserole et les recouvrir d'eau froide.
2. Porter à ébullition, réduire la chaleur et laisser mijoter 10 minutes; égoutter et couper les figues en petits dés.
3. Dans la jarre du mélangeur électrique, battre ensemble les oeufs battus, le miel, le beurre ramolli et la liqueur de noix.
4. Tourner à haute vitesse jusqu'à consistance légère et épaisse.
5. Tamiser la farine avec la poudre à pâte et le sel dans un grand bol.
6. Incorporer la céréale, la noix de coco et les noisettes hachées.
7. Bien remuer pour mélanger parfaitement les ingrédients secs.
8. Ajouter le mélange liquide aux ingrédients secs en une seule fois et brasser pour humecter et lier la préparation.
9. Ajouter les figues hachées et remuer pour les disperser dans la pâte.
10. Verser dans une lèchefrite tapissée de papier ciré huilé (tôle à biscuits de 32,5 sur 22,5 sur 5 cm).
11. Étendre la pâte uniformément et cuire au centre du four à 180° C pendant 30 minutes ou jusqu'à ce qu'elle soit bien dorée.
12. Au sortir du four, tamiser le sucre à glacer à la surface et découper en pointes ou en carrés.
13. Refroidir sur une grille et les conserver dans une boîte étanche.

RENDEMENT:
16 pointes ou 16 carrés.

Gourmandises aux céréales

Une petite douceur dont raffoleront petits et grands.

FIBRES : Recette : 60 g   PAR PORTION : 6 g

250 ml   de sirop de maïs
250 ml   de sucre brun
250 ml   de beurre d'arachide
500 ml   de flocons de son (Bran Flakes)

500 ml   de blé filamenté défait en
              petits filaments
250 ml   de noix hachées

Mode de préparation

1. Faire fondre ensemble dans une grande casserole, le sirop de maïs, le sucre brun et le beurre d'arachide.
2. Dès que les ingrédients sont fondus, jeter les flocons de son, le blé filamenté et les noix dans le sirop.
3. Brasser vigoureusement pour bien lier les céréales au sirop chaud.
4. Transférer sur un grand papier ciré et tasser le mélange avec les mains pour former un long rouleau.
5. Envelopper et déposer au réfrigérateur 1 heure.
6. Découper en 12 portions.

RENDEMENT :
12 bouchées.

Gâteau au gruau de grand-mère

Il est bon à s'en lécher les doigts et se présente bien en tout temps.

FIBRES: Recette: 42 g | PAR PORTION: 5 g

150 ml	de beurre
250 ml	de cassonade foncée
2	oeufs battus
250 ml	de farine de blé entier tamisée
5 ml	de poudre à pâte
2 ml	de sel
500 ml	de flocons d'avoine (gruau)
125 ml	de raisins secs pâles
150 ml	de lait

GLACE AUX NOIX

125 ml	de beurre fondu
125 ml	de cassonade
50 ml	de crème ou de lait
5 ml	d'essence de vanille
125 ml	de noix hachées
170 ml	de noix de coco râpée, non sucrée

Mode de préparation

1. Défaire le beurre en crème et le fouetter pour le rendre léger.
2. Incorporer la cassonade graduellement tout en battant bien pour la dissoudre dans le gras.
3. Ajouter les oeufs battus en deux fois et battre au fouet ou au malaxeur pour rendre le mélange léger et mousseux.
4. Tamiser la farine avant de la mesurer et la tamiser de nouveau avec la poudre à pâte et le sel.
5. Enfariner les raisins secs avec une petite quantité de la farine; réserver.
6. Ajouter les flocons d'avoine à la farine et remuer à la fourchette pour bien les distribuer.
7. Ajouter les ingrédients secs en 3 fois au mélange des oeufs en alternant avec le lait; terminer par les ingrédients secs; bien battre entre chaque addition.
8. Verser la pâte dans un moule carré de 20 cm préalablement graissé et enfariné.
9. Cuire à 180° C pendant 30 minutes environ ou jusqu'à ce que le gâteau soit bien doré.
10. Sortir du four, recouvrir immédiatement de la glace aux noix et faire dorer la garniture sous le gril quelques minutes. Pour la glace, mélanger dans un bol tous les ingrédients, en suivant l'ordre indiqué.
11. Servir directement du moule.

RENDEMENT:
8 portions.
1 portion = 1 carré de 10 cm.

Muffins au son et aux dattes

En manger tous les jours: une garantie de bien-être digestif.

FIBRES: Recette: 56 g	1 muffin: 5 g

250 ml	de son entier (100%)		2 ml	de sel
170 ml	de lait		5 ml	de poudre à pâte
250 ml	de farine de blé entier		1	oeuf battu
30 ml	de germe de blé		85 ml	d'huile
170 ml	de cassonade ou		5 ml	d'essence de vanille
125 ml	de mélasse		250 ml	de dattes hachées

Mode de préparation

1. Faire tremper le son dans du lait pendant 10 minutes environ.
2. Tamiser la farine avant de la mesurer.
3. La tamiser de nouveau avec le germe de blé, la cassonade, le sel et la poudre à pâte dans un grand bol.
4. Dans un autre bol, fouetter l'oeuf, l'huile, la vanille et la mélasse si on l'utilise pour remplacer la cassonade.
5. Incorporer le mélange son-lait et bien battre pour lier tous les ingrédients.
6. Enfariner légèrement les dattes et les ajouter aux ingrédients secs.
7. Faire un puits au centre des ingrédients secs et ajouter le mélange liquide.
8. Brasser vigoureusement et rapidement juste pour humecter la farine (le moins possible).
9. Placer à la cuillère dans 12 moules à muffins tapissés de cassolettes de papier (ne remplir qu'aux deux tiers).
10. Cuire au four à 200° C de 15 à 20 minutes.
11. Démouler aussitôt et les laisser refroidir sur une grille.

NOTE: Pour un petit déjeuner savoureux, les réchauffer et les accompagner de fromage à la crème et d'un yogourt aux fruits.
On peut utiliser des raisins secs à la place des dattes.

RENDEMENT:
12 gros muffins.

Muffins aux pruneaux

Ils sont délicieux avec du fromage pour un petit déjeuner sur le pouce ou à la pause-santé de votre choix.

FIBRES: Recette: 53 g   PAR PORTION: 4 g

80 ml	d'huile de maïs
160 ml	de miel clair
2	oeufs moyens battus
5 ml	de zeste de citron
250 ml	de farine de blé entier à pâtisserie, tamisée
1 ml	de sel
2 ml	de poudre à pâte
250 ml	(28) pruneaux dénoyautés, hachés finement
125 ml	de noix hachées

Mode de préparation

1. Combiner ensemble l'huile et le miel en fouettant vigoureusement pour bien lier (utiliser une mixette électrique).
2. Ajouter les oeufs un à un en fouettant bien après chaque addition.
3. Incorporer le zeste de citron et battre jusqu'à ce que le mélange soit mousseux et léger.
4. Tamiser la farine avant de la mesurer; la tamiser de nouveau avec le sel et la poudre à pâte.
5. Enfariner les pruneaux et les noix avec une petite quantité de la farine; mettre en attente.
6. Creuser un puits au centre de la farine et y verser tout le mélange liquide.
7. Brasser vivement et très rapidement jusqu'à ce que la farine soit humide (le mélange doit être grumeleux).
8. Ajouter les pruneaux et les noix.
9. Remuer rapidement pour les distribuer dans la pâte.
10. Verser à la cuillère dans des moules à muffins tapissés de cassolettes de papier.
11. Cuire au four à 200 °C pendant 20 minutes ou jusqu'à ce que les muffins soient dorés.
12. Démouler aussitôt et laisser refroidir sur une grille.

NOTE: Pour varier, employer d'autres fruits séchés tels que les abricots, les pêches, les pommes, etc. Et pourquoi ne pas en faire une double recette et les congeler afin d'en avoir toujours à offrir?

RENDEMENT:
12 muffins.

Croûte à tarte simple non roulée

Qui oserait penser qu'elle se prépare en un tournemain?

FIBRES: Recette: 22 g   PAR PORTION: 4 g

480 ml de farine de blé
entier à pâtisserie, tamisée
10 ml de sucre blanc
2 ml de sel

50 ml d'eau glacée
10 ml de jus de citron
125 ml d'huile de maïs

Mode de préparation

1. Tamiser la farine avant de la mesurer.
2. Tamiser de nouveau la farine avec le sucre et le sel directement dans une assiette à tarte de 23 cm.
3. Ajouter le jus de citron à l'eau glacée.
4. Verser l'huile dans une tasse à mesurer et y incorporer l'eau.
5. Battre avec une fourchette jusqu'à ce que le mélange soit crémeux.
6. Verser d'un coup sur la farine.
7. Mélanger rapidement avec la fourchette jusqu'à ce que toute la farine soit humide.
8. Étendre la pâte en commençant par le centre pour aller vers les côtés.
9. Presser légèrement et également avec les doigts et donner une épaisseur uniforme à la surface et aux côtés de l'assiette.
10. Tourner le bord et l'égaliser en pressant; puis, pincer la pâte avec les doigts pour denteler.
11. Utiliser non cuite ou cuite selon les besoins.

Pour une croûte cuite: Piquer toute la surface avec une fourchette; cuire à 220° C de 12 à 15 minutes. Refroidir et remplir de garniture.

Pour une croûte non cuite: Remplir de la garniture de son choix; cuire à 200° C pour les 10 premières minutes, réduire la chaleur à 180° C et poursuivre la cuisson jusqu'à ce que la garniture soit cuite.

NOTE: Toutes les mesures sont rases; préparer la pâte juste avant de cuire; ne pas mettre en réserve la pâte non cuite.

RENDEMENT:
1 croûte de 23 cm ou 6 portions.

Biscuits croquants sans cuisson

Prêts en un clin d'oeil, enveloppez-les individuellement, ils s'emportent partout.

FIBRES : Recette : 34 g | PAR PORTION : 4 g

250 ml	d'arachides fraîches non salées, écalées	250 ml	de raisins secs pâles (sultana)
250 ml	de flocons de son croustillants (Bran Flakes)	50 ml	de miel clair
		30 ml	de jus de pomme
		80 ml	de noix de coco filamentée

Mode de préparation

1. Broyer les arachides et les moudre au hachoir.
2. Ajouter les flocons de son aux arachides moulues et mélanger ensemble dans un grand bol ou au mélangeur électrique.
3. Incorporer les raisins, le miel et le jus de pomme et brasser le tout jusqu'à consistance de pâte.
4. Presser ce mélange dans un moule carré de 20 cm et couvrir de noix de coco ; presser avec les doigts pour faire adhérer la noix de coco.
5. Couvrir le moule d'une pellicule plastique et réfrigérer 1 heure.
6. Tailler en carrés de 10 cm et envelopper individuellement si désiré.

RENDEMENT :
8 biscuits de 10 cm (1 portion = 1 biscuit)
ou 16 biscuits de 5 cm (1 portion = 2 biscuits)

Muffins de blé entier aux canneberges

Une friandise pour toutes occasions: elle ensoleille la boîte à lunch.

FIBRES: Recette: 41 g	1 MUFFIN: 2 g

1	orange entière	500 ml	de farine de blé entier, tamisée
125 ml	de jus d'orange frais	50 ml	de sucre blanc
125 ml	de sucre blanc	10 ml	de poudre à pâte
500 ml	de canneberges crues, hachées	2 ml	de sel
2	gros oeufs battus	125 ml	de noix de coco râpée
250 ml	de lait		
125 ml	de beurre fondu		

Mode de préparation

1. Couper l'orange en morceaux, retirer les pépins et battre au mélangeur électrique jusqu'à ce que l'écorce soit finement moulue.
2. Ajouter le jus d'orange, le sucre et les canneberges hachées.
3. Battre de nouveau pour bien mélanger le tout.
4. Ajouter les oeufs battus, le lait et le beurre fondu.
5. Battre de nouveau jusqu'à ce que le mélange soit homogène; mettre de côté.
6. Tamiser la farine de blé entier avec le sucre (50 ml), la poudre à pâte et le sel dans un grand bol.
7. Incorporer la noix de coco aux ingrédients secs.
8. Faire un puits au centre des ingrédients secs et verser le mélange liquide d'un seul coup.
9. Brasser vivement en partant du centre jusqu'à ce que tous les ingrédients secs soient à peine humides (éviter de trop brasser).
10. Placer à la cuillère dans 18 moules à muffins tapissés de cassolettes de papier; ne remplir qu'aux deux tiers.
11. Cuire au four à 180° C de 15 à 20 minutes ou jusqu'à ce qu'ils soient bien dorés.
12. Démouler immédiatement et laisser tiédir sur une grille avant de les emballer.

NOTE: On peut remplacer les canneberges par des bleuets frais ou congelés.

RENDEMENT:
18 gros muffins.

Liste des tableaux

Glossaire des termes
les plus ardus

Athérosclérose: sclérose artérielle amenée par l'accumulation des dépôts graisseux dans les vaisseaux sanguins et qui touche plusieurs sites: aorte, artères coronariennes, cérébrales, membres.

Ballast: matière pesante (lest) qui contribue à augmenter le poids.

Cancérigène: se dit de tout agent qui peut favoriser la formation d'un cancer.

Diurétique: substance qui augmente la sécrétion d'urine.

Endémique: se dit d'une maladie particulière qui est constamment présente dans une région déterminée du globe.

Enzyme: substance protéique capable d'accélérer une réaction biochimique dans notre organisme sans être elle-même apparemment modifiée.

Épidémiologie: étude des maladies qui s'étendent, sur une période donnée, à un grand nombre d'individus ainsi que des rapports entre ces maladies et divers facteurs (mode de vie, alimentation, etc.), susceptibles d'influencer leur fréquence d'apparition.

Flatulence: accumulation de gaz gastro-intestinaux donnant naissance à du ballonnement.

Flatulent: qui produit des gaz, soit par aérophagie, par fermentation ou par putréfaction.

Flore bactérienne: ensemble des bactéries qui croissent naturellement dans l'intestin.

Glucides: terme générique pour désigner les sucres simples et les sucres composés.

Glucose: sucre simple directement assimilé (glucide), très répandu dans la nature (ex.: sirop de maïs).

Hydrocolloïdes : substances qui ressemblent à de la gelée et qui sont solubles dans l'eau.

Hydrolyse : substance quelconque qui est transformée en une autre substance par fixation de molécules d'eau.

Hydrophile : qui absorbe l'eau ; apte à être mouillé par l'eau sans être dissous.

Hydrosoluble : soluble dans l'eau.

Hypercholestérolémie : élévation excessive de la quantité de cholestérol sanguin.

Hyperlipémie : condition caractérisée par l'élévation du taux des graisses (lipides) dans le sang.

Hypoglycémiant : qui amène une diminution de la quantité de glucose (sucre) contenu dans le sang.

Maladie diverticulaire : condition caractérisée par l'apparition d'hernies (petites poches dont la grosseur varie de la taille d'un pois à celle d'une noisette) de la muqueuse du côlon.

Métabolisme : ensemble des transformations subies dans l'organisme par les substances qu'il absorbe et qui sont destinées à pourvoir aux besoins organiques.

Osmolarité : désigne la concentration des particules de substances dissoutes dans un milieu.

Osmose : phénomène de diffusion entre deux solutions de concentration différente à travers une membrane perméable (intestin). La solution la moins concentrée passe vers la solution la plus concentrée. La substance dissoute suit le trajet inverse.

Pathologie : science qui a pour objet l'étude des maladies.

Polysaccharide : sucre naturel formé par l'union de plusieurs sucres simples (ex. : amidon).

Séquestrant : se dit d'un agent ou d'une substance qui forme avec un sel un complexe soluble, stable et non toxique, rapidement éliminé. Il débarrasse ainsi l'organisme du produit dont on veut se libérer.

Stase : arrêt ou ralentissement de la circulation d'un liquide organique (ex. : le contenu intestinal).

Bibliographie

Agriculture Canada, *le Panier à provisions*, Division de la consultation en alimentation, Agriculture Canada, Ottawa, 1979 à 1985.

Agriculture Canada, publication n[os]: 1410 «Les céréales secondaires», 1975; 1448 «Les plantes oléagineuses», 1980; 1476 «Les légumes frais canadiens», 1982; 1539 «Les salades», 1978; 1555 «Haricots, pois et lentilles», 1981; 1551 «Les céréales», 1983, Agriculture Canada, Ottawa.

Amiot, Jean, «Données récentes sur les propriétés nutritionnelles des légumineuses», colloque, faculté des Sciences de l'agriculture et de l'alimentation, Université Laval, Québec, mai 1980.

Chelf, Hudon, Vicki, *la Grande Cuisine végétarienne*, Montréal, Éditions internationales Alain Stanké Ltée, 1979.

Corporation professionnelle des diététistes du Québec, *Manuel de régimes alimentaires*, Montréal, Éditions Fides, 1977.

Crockett, James, Underwood et les rédacteurs des Éditions Time-Life, *Légumes et arbres fruitiers*, Nederland, B.V., Time-Life International, 1978.

Dairy council Digest, «Role of Fiber in the Diet», *Interpretive Review of Recent Nutrition Research*, vol 46, n° 1, Chicago, Illinois, janvier, février, 1975.

Direction générale des services et de la protection de la santé, «Lettre de renseignements n° 700», Rapport du comité de consultation sur les fibres alimentaires, Ottawa, Santé et Bien-être social Canada, 1985.

Direction générale des services et de la protection de la santé, *Valeur nutritive de quelques aliments usuels*, édition révisée, Ottawa, Santé et Bien-être social Canada, 1979.

Doria, Irma, *la Cuisine macrobiotique*, Paris, les Éditions de Vicchi, 1977.

Dubick, A. Michael, «Dietary Supplements and Health Aids», *Journal of Nutrition Education*, vol 15, n° 3, California, Department of Nutrition, University of California, Davis, septembre 1983.

Eastwood, M.D. et M.D. Passmore, «A New Look at Dietary Fiber», *Journal of Nutrition Today*, London, septembre-octobre 1984.

Griswold, Ruth M., *et al*, *The experimental Study of Food*, 2e éd., Boston, Houghton, Mifflin Co., 1979.

Hardinge, G.M., M.D., Sonnenberg, L., R.D., «Vegetarian diets in Health and Disease», *Dietetic Currents*, vol. 1, n° 6, Columbus, Ohio, Ross Laboratories, décembre 1974.

Hughes, Osee et Bennion Marion, *Introductory Foods*, 5e éd., New York, Macmillan Co., Ltd., 1970.

Hull, F. Sam, M.D., «Body Fluid and Electrolyte Balance», *Dietetic Currents*, vol. 12, n° 1, Columbus, Ohio, Ross Laboratories, 1985.

Kantardjieff, Assen Todoroff, prof., *« De l'influence du yogourt sur les végétations bactériennes de l'intestin et sur les désordres intestinaux»*, Montréal, Vita yogourt Products Ltd., septembre 1950.

Krause, Marie V., B.S., R.D., *Nutrition et diétothérapie*, 5e éd., Montréal, HRW Ltée et W.B. Saunders Co., 1978.

Kurtz, Robert. C., *Nutrition in Gastro-Intestinal Disease*, New York, Churchill Livingstone, 1981.

Massé, Priscille, «Les fibres alimentaires dans l'alimentation humaine», *le Médecin du Québec*, Montréal, septembre 1981.

Medical Education Services (Canada) Inc., «The Clinical Role of Fiber», prononcé à l'issu d'un symposium tenu à Toronto, A Medecine Group company, Toronto, février 1985.

Office de la langue française, *Lexique anglais-français des fruits et légumes*, Québec, Gouvernement du Québec, O.L.F., septembre 1974.

Peckham C., Gladys, *Foundations of Food Preparation*, 3e éd., New York, Macmillan Publishing Co., Inc., 1974.

Pennington J.A.T. et H.N. Church, *Food Values of Portions Commonly Used*, 14e éd., New York, Harper et Row, 1985.

Robinson, H. et Mr. Lowler, *Normal and Therapeutic Nutrition*, 16e éd., New York, Macmillan Publishing Co., 1982.

Ross Laboratoires, *l'Eau et les électrolytes dans l'alimentation entérale*, Montréal, Laboratoires Ross, division Abott, Limitée, 1984.

Sélection du Reader's Digest, *Mangez mieux, vivez mieux*, Montréal, Sélection du Reader's Digest Limitée, 1983.

Slavin, J.L.,RD (Ph.D.), «Dietary Fiber», *Dietetic Currents*, Ross Timesaver, vol. 10, n° 6, Colombus, Ohio, novembre-décembre 1983.

Southgate, D.A.T. *et al*, «A Guide to Calculating Intakes of Dietary Fiber», *Journal of Human Nutrition*, Cambridge, Dunor Nutritional Laboratory, University of Cambridge and Medical Research Council, 1976.

Starenkyj, Danièle, *le Bonheur du végétarisme*, 4e éd., Richmond, Québec, Les publications Orion, janvier 1980.

Time-Life (les rédacteurs des Éditions), *Céréales, pâtes et légumes secs*, Amsterdam, Éditions Time-Life, 1980.

Time-Life (les rédacteurs des Éditions), *les Fruits*, Amsterdam, Éditions Time-Life, 1983.

Time-Life (les rédacteurs des Éditions), *les Légumes*, Amsterdam, Éditions Time-Life, 1979.

Trémolières, Jean, *Diététique et art de vivre*, Guides pratiques Seghers, Paris, Éditions Seghers, 1975.

TABLE DES MATIÈRES

Répertoire des recettes